NIGHT WORLD

L. J. Smith

Night World

Tome 3 : Ensorceleuse

Traduit de l'anglais (États-Unis)
par Isabelle Saint-Martin

Déjà parus :

Night World, tome 1 : *Le secret du vampire*
Night World, tome 2 : *Les sœurs des ténèbres*

À paraître

Night World, tome 4 : *Ange noir*

7-13, boulevard Paul-Émile-Victor – Île de la Jatte
92521 Neuilly-sur-Seine Cedex
www.michel-lafon.com

NIGHT WORLD

JAMAIS IL N'A ÉTÉ AUSSI DANGEREUX D'AIMER

Le Night World ne se limite pas à un endroit précis. Il nous entoure. Aux yeux des humains, les créatures du Night World sont belles, mortelles et irrésistibles. Un ami proche pourrait en faire partie – la personne que vous aimez aussi.

Les lois du Night World sont très claires : sous aucun prétexte son existence ne doit être révélée à qui que ce soit d'extérieur. Et ses membres ne doivent pas tomber amoureux d'un individu de la race humaine. Sous peine de conséquences terrifiantes.

Voici le récit de ce qui arrive à ceux qui enfreignent ces lois.

À Maurice Ogden, avec mes remerciements.

1

« Renvoyées. »

C'était l'un des mots les plus terribles qui puisse frapper un élève de terminale, et il résonnait encore dans l'esprit de Thea Harman alors que la voiture de sa grand-mère approchait du lycée.

– C'est votre dernière chance, affirmait cette dernière depuis son siège à l'avant. Vous vous en rendez compte, j'espère ?

Alors que le chauffeur se garait au bord du trottoir, elle continua :

– Je ne sais pas pourquoi vous vous êtes fait renvoyer de votre dernière école, et je ne veux pas le savoir. Mais s'il y a la moindre histoire dans cet établissement, je laisse tomber et je vous envoie toutes les deux chez votre tante Ursula. Ne me dites pas que c'est ce que vous recherchez ?

Thea secoua vigoureusement la tête.

On avait donné à la maison de tante Ursula le

surnom de « Couvent », une forteresse grise perchée au sommet d'une montagne avec des murailles tout autour, une atmosphère lugubre et tante Ursula qui surveillait tout, les lèvres serrées... Plutôt mourir que d'aller vivre là-bas !

À l'arrière à côté d'elle, Blaise, sa cousine, secouait également la tête. Mais n'en avait pas grand-chose à faire.

Thea avait du mal à se concentrer. La tête lui tournait et elle se sentait un peu perdue, comme si une partie d'elle-même était restée dans le New Hampshire, dans le bureau du dernier proviseur en date. Elle voyait encore son expression, l'air de dire qu'elle et Blaise allaient une fois de plus se faire virer.

Sauf que là, c'était pire. Impossible d'oublier les lumières rouge et bleue de la voiture de police garée devant l'entrée. Ou cette fumée qui s'échappait des restes carbonisés du département de musique, ou les pleurs de Randy Marik lorsque la police l'avait conduit en prison.

Ou le sourire de Blaise. Triomphant, comme si tout cela n'avait été qu'un jeu.

Thea jeta un coup d'œil à sa cousine.

Blaise était belle et fatale, mais n'y pouvait rien. Elle avait toujours donné cette impression ; cela provenait en partie de ses yeux gris si troublants, de ses cheveux sombres comme un nuage de fumée – rien à voir avec la blondeur de Thea. Et c'était à cause de cette beauté qu'elles rencontraient aujourd'hui tant de difficultés ; pourtant, Thea ne pouvait s'empêcher de l'aimer.

Après tout, elles avaient été élevées comme deux sœurs. Et c'était certainement le lien le plus fort qui puisse exister entre deux sorcières.

Seulement, on ne peut pas se faire encore virer. Impossible. Je sais qu'en ce moment tu crois pouvoir recommencer et que cette bonne vieille Thea sera toujours là pour te soutenir... mais, là, tu te trompes. Cette fois, c'est moi qui te dis stop.

– C'est tout, conclut brutalement mamie. Alors, tenez-vous tranquilles jusqu'à la fin octobre, ou vous allez le regretter. Filez, maintenant !

Avec sa canne, elle frappa d'un coup sec l'appui-tête du chauffeur :

– À la maison, Tobias !

Celui-ci avait plutôt l'air d'un gamin avec ses cheveux frisés, et fixait mamie du même air de chien battu que tous les autres apprentis au bout de quelques jours.

– Bien, Grande Dame, répondit-il en passant la première.

Thea se hâta d'ouvrir sa portière et de sortir, Blaise sur ses talons.

La vieille Lincoln Continental accéléra, laissant les deux filles sous le chaud soleil du Nevada, face à une bâtisse en pisé de deux étages, le lycée Lake Mead.

Thea cligna des yeux en essayant de remettre ses idées au clair, puis se tourna vers sa cousine.

– Dis-moi, gronda-t-elle, que tu ne vas pas recommencer ici.

Blaise éclata de rire.

– Je ne fais jamais deux fois la même chose.

– Tu sais très bien ce que je veux dire !

Blaise fit mine de remonter une de ses bottes, mais ne put cacher son agacement.

– Arrête ! Mamie en fait des tonnes, avec sa morale ! J'ai l'impression qu'elle ne nous a pas tout dit. C'est quoi, cette histoire de fin du mois ?

Elle se redressa, repoussa sa masse de cheveux bruns et afficha un sourire exquis :

– Et si on allait plutôt chercher nos emplois du temps ?

– Tu réponds à ma question, oui ou non ?

– Quelle question ?

Thea ferma les yeux.

– Blaise, plus personne dans la famille ne veut de nous. Si ça recommence... ne me dis pas que tu te vois aller vivre au Couvent ?

L'expression de sa cousine s'assombrit encore. Et puis elle haussa les épaules, faisant chatoyer les plis de son chemisier rubis.

– Bon, on se dépêche ! On ne doit pas être en retard.

– Vas-y, maugréa Thea d'un ton las.

Elle suivit des yeux sa démarche chaloupée typiquement Blaise.

Thea poussa encore un soupir en examinant les bâtiments aux portails cintrés et aux façades enduites de plâtre rose. Elle connaissait le processus. Encore une année de vie là-dedans à parcourir ces couloirs, tout en se sachant différente de tous ceux qui l'entouraient, alors qu'elle se donnait tant de mal pour paraître semblable…

Ce n'était pas difficile. Les humains n'étaient pas très futés. Ça demandait juste un peu de concentration.

Elle venait de reprendre le chemin du bureau, lorsque retentirent des voix derrière elle. Un petit groupe d'étudiants s'était assemblé devant le parking.

– Attention, n'y touche pas !

– Tue-le !

Thea se joignit sans bruit à l'attroupement. Mais quand elle vit ce qu'il y avait à terre au bord du trottoir, elle effectua trois enjambées de plus pour se trouver juste au-dessus.

Oh... qu'il était beau ! Ce corps long et fort... cette tête large... et ce chapelet d'anneaux vibrants sur la queue qui émettaient un bruit de cocotte à vapeur ou de maracas remplies de graines.

Le serpent était vert olive, le dos orné de larges losanges. Ses écailles semblaient brillantes, presque mouillées. Et sa langue noire oscillait si vite...

Un caillou passa en sifflant devant Thea, pour tomber à quelques centimètres du reptile, dans un nuage de poussière.

En levant les yeux, elle repéra un élève qui reculait, l'air à la fois effaré et triomphant.

– Arrête ! dit quelqu'un.

– Prends un bâton, conseilla un autre.

– Ne t'approche pas trop.

– Tue-le !

Une autre pierre passa en trombe.

Autour de Thea, les visages n'affichaient pas d'expressions menaçantes. Certaines étaient curieuses, certaines, angoissées, d'autres, aussi dégoûtées que fascinées. De toute façon, le serpent ne s'en sortirait pas.

Un étudiant aux cheveux roux jaillit, armé d'une branche fourchue. D'autres ramassaient des cailloux.

Je ne vais pas les laisser faire, songea Thea. Les serpents à sonnette étaient plutôt fragiles, et leur colonne vertébrale, très vulnérable. Ces étudiants allaient le tuer sans vraiment le vouloir.

En même temps, l'un d'eux pourrait bien se faire mordre dans la bagarre.

Et elle n'avait rien sous la main... pas de jaspe contre le venin, pas de racine d'armoise pour apaiser l'esprit.

Tant pis. Il fallait intervenir. Le garçon à la fourche tournait en brandissant son arme, tel un lutteur guettant une ouverture, encouragé par les autres, qui lui disaient de se méfier tout en le poussant à y aller. Le serpent ondulait en agitant sa langue, à une telle vitesse que Thea n'arrivait pas à suivre. C'était dément.

Laissant tomber sa besace, elle alla se glisser devant le garçon roux. Elle le vit s'affoler, elle entendit les autres lui crier de s'écarter. Se concentrer...

J'espère que j'y arriverai...

Elle s'agenouilla devant le serpent qui se lova dans une attitude menaçante, le haut du corps dressé en spirale, la tête et le cou tendus évoquant un javelot prêt à jaillir.

On se calme... songea-t-elle en fixant les yeux dorés, fendus comme ceux d'un chat en pleine lumière. Elle leva lentement les mains, les paumes tournées vers lui.

Derrière elle s'élevaient des exclamations inquiètes.

Le serpent inhalait et exhalait dans un souffle violent. Thea s'efforça de respirer posément pour lui transmettre son calme.

Mais qui pourrait l'aider ? Qui d'autre que sa déesse protectrice Ilythie, de l'ancienne Crète – la mère des animaux ?

Ilythie, maîtresse des bêtes, je t'en prie, dis à cette créature de se calmer ! Aide-moi à voir ce qui se passe dans son cœur de serpent afin que je sache quoi faire.

Et le miracle se produisit, une merveilleuse transformation que Thea elle-même ne comprit pas. Soudain, elle se dédoubla, devint à moitié serpent, se glissa dans sa peau tout en restant elle-même, se dressa, furieuse et inquiète, sur le sol tiède, anxieuse, désirant à tout prix gagner l'abri d'un arbuste à créosote. Elle venait d'avoir onze petits et ne s'en était pas encore remise. Et voilà qu'elle se retrouvait entourée d'êtres énormes, rapides, au sang chaud.

De gros êtres vivants... beaucoup trop près. Qui ne réagissent pas à mes menaces. Il va falloir les mordre.

Le serpent n'avait que deux réactions possibles face aux animaux qu'il ne mangeait pas. Secouer la queue pour les faire partir avant qu'ils ne vous marchent dessus, ou s'ils ne partent pas, frapper.

Thea tendait toujours les mains en s'efforçant de communiquer avec le reptile. *Sens-moi, absorbe-*

moi. Mon odeur n'est pas humaine. Je suis fille d'Hellewise.

La langue du serpent lui caressa la paume. Les pointes en étaient tellement fines et délicates qu'elle les sentit à peine.

En revanche, elle put constater que le reptile commençait à s'apaiser, prêt à s'en aller. Encore un peu, et il obéirait quand elle lui dirait de battre en retraite.

Mais derrière elle s'éleva un nouveau remue-ménage.

– Voilà Eric !

– Salut, Eric. Regarde : un serpent à sonnette !

N'y fais pas attention, songea Thea.

Une nouvelle voix s'éleva, lointaine mais qui s'approchait :

– Laissez tomber, les gars. Ce ne doit être qu'un serpent taureau.

Un flot véhément de dénégations monta autour de Thea. Elle sentit que le lien avec l'animal commençait à se distendre. *Reste concentrée...*

Mais comment rester concentrée face à ce qui se produisit soudain ? Elle entendit un pas rapide. Une ombre se projeta devant elle. Puis retentit une exclamation.

– Un serpent à sonnette de Mojave !

Alors, quelque chose la frappa, l'envoyant rouler sur le côté. Cela s'était passé si vite qu'elle n'avait pas eu le temps de se retourner. Dans un éclair de douleur, elle atterrit sur un bras. Le contact avec le serpent s'était brisé.

Ce fut à peine si elle eut le temps d'apercevoir une tête verte couverte d'écailles, les mâchoires grandes ouvertes sur des crocs énormes, qui foncèrent se planter dans la jambe du type qui venait de l'écarter d'un coup de pied.

2

Ce fut la panique.

Tout était arrivé en même temps, au point que Thea n'arrivait plus à faire le tri dans les événements. La moi-tié de l'attroupement prenait la fuite, l'autre criait.

– Appelez les urgences…

– Il a mordu Eric…

– Je t'avais dit de le tuer !

L'étudiant roux se précipitait en brandissant son bâton, d'autres se penchaient pour ramasser leurs cailloux.

Le serpent agitait frénétiquement le bout de sa queue, produisant un bruit terrifiant. Il semblait prêt à jaillir de nouveau et Thea ne voyait pas comment l'en empêcher.

– Hé !

La voix la pétrifia. C'était celle d'Eric, le garçon qui venait d'être mordu.

– Calmez-vous, les gars. Josh, donne-moi ça.

Il parlait à l'étudiant roux à la branche fourchue.

– Il a juste mordu mon jean.

Tous écarquillèrent les yeux. Ce type déraillait ?

Pourtant, ils parurent le croire. Une fille en short baggy et top ouvert sur le ventre reposa sa pierre.

– Je m'en occupe, reprit-il. Je vais le porter jusque dans la brousse et il ne menacera plus personne.

Complètement malade ! Il disait cela d'un ton tellement dégagé… comme s'il allait pouvoir coincer la bestiole avec cette fourche. Il fallait agir au plus vite.

Un éclair rubis capta les yeux de Thea. Blaise s'était mêlée à la foule et contemplait la scène avec une moue désapprobatrice. Cette fois, elle n'hésita plus.

Elle saisit le serpent.

Tout occupé à fixer le bâton, il s'était d'abord laissé capter mentalement ; ce qui permit à Thea de l'empoigner juste sous la tête, et de s'accrocher, tandis qu'il se débattait en ouvrant grandes les mâchoires et en agitant furieusement le corps…

– Attrape-lui la queue et on l'emporte, lança-t-elle à Eric le dingue.

Celui-ci l'avait regardée faire, l'air abasourdi.

– Ne lâche pas, surtout ! s'écria-t-il. Il peut s'échapper…

– Je sais. Attrape !

Il obtempéra et le groupe recula quand Thea se retourna en brandissant l'animal à bout de bras. Seule Blaise resta en place, l'air pincé, comme s'il sentait mauvais.

– Donne-moi ça, dit sa cousine en lui arrachant son pendentif de sa main libre.

La fragile chaîne d'or se brisa et les doigts de Thea se fermèrent sur la pierre enchâssée.

Elle se précipita vers les lointains buissons, le bras ployant sous le poids du serpent. Derrière l'école, le terrain montait et descendait dans un paysage de plus en plus sec. Lorsque les bâtiments eurent disparu à l'horizon, Thea s'arrêta.

– Ça m'a l'air bien, ici, dit Eric d'une voix fatiguée.

D'un coup d'œil par-dessus son épaule, elle s'aperçut qu'il était tout pâle. Courageux et décidément fou, songea-t-elle.

– D'accord, à trois, on le lâche.

Elle donna un coup de tête en ajoutant :

– Jette-le comme ça, et recule vite.

Il compta avec elle :

– Un... deux... trois !

Emportés par le même mouvement, ils lâchèrent prise ensemble. Le serpent traça un arc de cercle gracieux avant d'atterrir à proximité d'un buisson de sauge pourpre. Il fila aussitôt, sans montrer le plus petit signe de gratitude. Thea sentit son esprit froid s'éloigner d'elle. Elle poussa un soupir et se rendit alors compte qu'elle avait retenu son souffle.

Derrière elle, Eric se laissa tomber à terre.

– Ouf ! C'est fait ! haleta-t-il. Je pourrais te demander quelque chose ?

Il était assis, ses longues jambes étendues devant lui, le teint encore plus blême si c'était possible, la lèvre supérieure humide de transpiration.

– Voilà, en fait, j'ai senti quelque chose et je ne suis pas certain que le venin n'ait pas traversé...

Thea savait que si... et qu'Eric le savait également. Il arrivait que les serpents à sonnette n'injectent pas de venin sous leurs crocs mais celui-ci ne s'en était pas privé. Elle avait en revanche du mal à croire qu'un humain s'affole si peu d'avoir été mordu par un serpent.

– Montre-moi ta jambe, dit-elle.

– Je crois qu'il vaudrait mieux appeler l'infirmerie.

– Laisse-moi voir ça, s'il te plaît.

Elle insistait d'une voix douce en s'agenouillant devant lui, en approchant la main de la trace laissée sur le jean, comme si elle tentait d'apprivoiser un animal apeuré. Il ne bougea pas, la laissa retourner l'étoffe.

Bientôt, elle aperçut les deux traces de morsure sur la peau bronzée. Elles n'avaient pas beaucoup saigné, mais cela commençait à enfler. Même si elle galopait jusqu'au lycée, même si les secours battaient des records de vitesse, ça ne suffirait pas. Bien sûr, ils lui sauveraient la vie, mais sa jambe gonflerait et virerait au violet, en lui faisant souffrir le martyre pendant des jours.

Sauf que Thea avait un héliotrope d'Isis, calcédoine rouge sang gravée d'un scarabée, symbole de la reine des dieux. Les anciens Égyptiens mettaient ces pierres au pied des momies ; Blaise s'en servait pour intensifier la passion, mais c'était aussi le purificateur de sang le plus puissant qui existât.

Eric poussa soudain un gémissement, un bras sur les yeux, et Thea se douta de ce qu'il pouvait ressentir. Faiblesse, nausée, étourdissement. Elle en fut navrée pour lui, cependant elle allait pouvoir tirer avantage de son état.

La calcédoine cachée entre ses doigts serrés, elle appuya la main sur la blessure, puis se mit à chantonner tout en visualisant ce qu'elle voulait voir se produire. L'ennui, avec les pierres, c'était qu'elles n'opéraient pas seules. Elles servaient juste de point de concentration, pour catalyser les pouvoirs psychiques et les orienter vers un objectif précis.

Trouve le poison, cerne-le, dissipe-le. Purifier, éliminer... Puis encourager les défenses naturelles du corps. Enfin, chasser l'œdème et les rougeurs en renvoyant le sang à sa place.

Toujours un genou à terre, avec le soleil qui lui brûlait la nuque, elle prit soudain conscience que c'était la première fois qu'elle faisait cela. Elle avait guéri des animaux, des chiots empoisonnés par des crapauds, des chats mordus par des araignées, mais jamais un être humain. L'étonnant, c'était qu'elle ait tout de suite su comment s'y prendre. Elle avait presque senti ce qu'il fallait faire.

En s'asseyant sur les talons, elle rangea la pierre dans sa poche.

– Comment te sens-tu ?

– Hein ?

Il écarta le bras de ses yeux.

– Pardon... J'ai dû avoir une minute d'absence...

Parfait, songea Thea.

– Mais maintenant, comment te sens-tu ?

Il la dévisageait comme s'il luttait pour rester gentil ; fallait-il donc lui expliquer qu'on ne se sentait pas très bien après une morsure de serpent à sonnette ? Soudain, il changea d'expression.

– Je sens... C'est drôle, j'ai l'impression que ça s'est engourdi...

Il jeta un regard incrédule sur son mollet.

– Non, tu as eu de la chance. Ça n'a pas traversé le jean...

– Quoi ?

D'un geste fébrile, il remonta la jambe de son jean pour constater que sa peau semblait intacte, si ce n'était une petite rougeur...

– J'aurais juré...

Il releva les yeux vers elle.

C'était la première fois que Thea pouvait s'offrir le loisir de vraiment le regarder. Il était beau gosse, mince, blond vénitien, l'air gentil. De longues jambes. Et ces prunelles... d'un vert profond moucheté de gris, pour le moment écarquillées comme celles d'un enfant ébahi.

– Qu'est-ce que tu as fait ? demanda-t-il.

Thea restait muette de stupéfaction.

Il n'était pas censé réagir ainsi. Qu'est-ce qui lui prenait ?

– Rien du tout, articula-t-elle.

– Si !

Il la fixait de ses yeux clairs, l'air sûr de lui. D'un seul coup, son expression marqua une sorte d'éblouissement.

– Tu... il y a quelque chose de si différent en toi !

Lentement, il se pencha vers elle, l'air heureux. Et puis... Thea éprouva une étrange dualité. Elle avait l'habitude de se voir à travers les yeux des animaux : un être énorme, sans poils et recouvert de fausses peaux. Et voilà qu'elle percevait ce qu'Eric discernait en elle. Une blonde aux yeux noisette, assise sur ses talons, les cheveux éparpillés sur les épaules. Un visage trop aimable à l'air terriblement inquiet.

– Tu es... très belle, balbutia Eric. Je n'ai jamais vu personne... on dirait de la brume autour de toi. Tu es si mystérieuse !

Un immense frémissement stagnait sur le désert. Le cœur de Thea battait si fort qu'elle en eut comme un spasme. Que se passait-il ?

– On dirait que tu fais partie de tout ce qui nous entoure, poursuivait-il d'une voix posée mais presque enfantine. Que tu es chez toi, ici. Au milieu de toute cette paix...

– Non !

Elle ne ressentait aucune paix. Elle était terrifiée. Elle ignorait ce qui se passait, mais savait une chose, qu'elle devait filer au plus vite.

– Ne t'en va pas ! s'écria-t-il avec une expression de chien battu.

Il tendit le bras... pas brutalement, sans lui saisir le poignet, juste pour lui effleurer le dos de la main, et recula en la voyant sursauter.

Peu importait, ce seul contact lui avait donné la chair de poule. Et quand elle rechercha le regard vert piqueté de gris, elle comprit qu'il avait ressenti la même chose.

Une sorte de douceur aiguë, une étourdissante exaltation. Et... une communion. Comme s'ils venaient d'échanger plus que des paroles.

Je te connais. Je vois ce que tu vois.

Sans vraiment réfléchir à ce qu'elle faisait, Thea leva la main, les doigts écartés, comme si elle s'apprêtait à toucher un miroir ou un fantôme. Il fit de même. Et ils se regardaient.

À l'instant où ils allaient se toucher, Thea sentit monter en elle une vague d'effroi.

Que faisait-elle ? Avait-elle perdu l'esprit ?

Soudain, tout devenait clair, trop clair. Son avenir s'étalait devant elle, parfaitement limpide. La mort pour avoir brisé la loi du Night World. Elle-même au centre du Cercle vital, s'efforçant d'expliquer qu'elle n'avait pas cherché à trahir leurs secrets, qu'elle n'avait pas voulu... se rapprocher d'un humain. Que tout cela n'était qu'une erreur, un moment d'égarement, parce qu'elle avait voulu le soigner. Ce qui ne les empêcherait pas de lui présenter la coupe de la mort.

Cette vision était si claire qu'elle tenait plutôt de la prophétie. Thea fit un brusque écart, comme si le sol se dérobait sous ses pieds, et réagit de la seule façon qui lui vint à l'esprit :

– Tu es dingue ? lança-t-elle d'un ton cinglant, tu as la cervelle qui chauffe ou quoi ?

De nouveau, il lui opposa son air de chien battu.

Ce n'est qu'un humain, se rappela-t-elle. Et d'ajouter un peu plus de mépris au ton de sa voix :

– Je fais partie du paysage et j'ai guéri ta jambe… tu crois au père Noël, en plus ?

Comme il ne paraissait pas bien comprendre, elle lui donna le coup de grâce :

– Alors tu me fais des avances, c'est ça ?

– Hein ? Non…

Plissant les paupières, il regarda autour de lui. Le désert n'avait pas changé, gris-vert, sec et plat. Il jeta un nouveau coup d'œil sur sa jambe et cligna des yeux, comme s'il reprenait contact avec la réalité.

– Je… écoute, désolé si je t'ai choquée. Je ne sais pas ce qui m'a pris.

Et puis il sourit d'un air contrit.

– J'ai raconté un peu n'importe quoi, parce que j'avais peur. Je ne suis pas aussi courageux que je le pensais.

Thea réprima un soupir de soulagement. Il la croyait donc. Isis, merci, les humains ont une cervelle d'oiseau.

– Et je ne te faisais pas d'avances, d'accord ? Je voulais juste... Tiens, je ne connais même pas ton nom !

– Thea Harman.

– Moi, c'est Eric Ross. Tu es nouvelle ?

– Oui.

Arrête de bavarder et va-t'en, lui ordonna une petite voix intérieure.

– Si tu veux que je te fasse visiter les parages, ou enfin... je veux dire que j'aimerais bien te revoir...

– Non, rétorqua-t-elle carrément.

Pour bien faire, elle aurait dû s'en tenir à cette monosyllabe, mais elle voulait complètement lui sortir ce genre d'idée de la tête.

– Je n'ai pas envie de te revoir, moi.

Ce n'était pas très subtil, mais ça disait bien ce que ça voulait dire.

Là-dessus, elle tourna les talons et s'en alla. Qu'aurait-elle pu faire de plus ? Il n'était plus question de lui adresser la parole, quitte à se demander sans cesse quelle folie l'avait poussé à vouloir emporter ce serpent. Désormais, elle allait devoir l'éviter autant que possible.

Elle se précipita vers le lycée et s'avisa tout d'un coup qu'elle était en retard. Le parking était désert et personne ne sortait des bâtiments.

Dès mon premier jour, je remets ça ! songea-t-elle. Sa besace était restée là où elle l'avait jetée, un cahier tombé à côté, sur l'asphalte. Elle ramassa le tout et bondit en direction du bureau

Ce ne fut qu'en cours de physique, une fois qu'elle eut tendu son billet d'admission au professeur et traversé des rangées de regards curieux jusqu'à une place libre au fond, qu'elle s'aperçut que ce cahier ne lui appartenait pas.

Il s'était ouvert à une page marquée « Introduction aux vers plats », rédigée d'une écriture penchée à l'encre bleue. Au-dessous apparaissaient des planches intitulées « Classe turbellariés » et « Classe trématodes ». Les vers étaient magnifiquement dessinés, avec leurs systèmes nerveux et reproductifs rehaussés de différentes couleurs ; cependant, l'auteur leur avait ajouté de bonnes figures réjouies, grotesques, mais amusantes. Thea tourna la page pour tomber sur un autre croquis, « Le cycle de vie du ténia du porc ».

Miam !

Elle revint au début du cahier. « Eric Ross, Cours de zoologie, 1re année ».

Elle ferma le cahier.

Comment le rendre à son propriétaire ?

D'un côté, son esprit se concentrait sur son cours de physique et sur le suivant, celui de littérature. D'un autre côté, il était préoccupé, comme toujours à l'abord d'une nouvelle école ou de tout groupe d'humains ; il observait et cataloguait, en alerte pour prévenir le moindre danger. Quelque part, enfin, une petite voix disait *je ne savais pas qu'il y avait un cours de zoologie dans ce lycée.*

La seule question qu'elle ne voulait pas se poser concernait ce qui avait pu se passer dans le désert. Chaque fois que l'idée lui en revenait, elle la repoussait brusquement. Cela devait provenir d'un phénomène de décalage après son identification avec le serpent.

De toute façon, cela ne correspondait à rien. Juste une coïncidence bizarre.

Entre les deux cours elle tomba sur Blaise, qui se précipita sur elle comme une lionne, malgré ses hauts talons.

– Ça va ? lui demanda Thea.

Elle n'eut pas le temps d'en dire plus, car sa cousine l'entraînait vers une salle déserte.

– Tu as cassé mon pendentif ! s'écria Blaise. Et c'était moi qui l'avais dessiné.

Thea sortit la calcédoine de sa poche, pour lui montrer qu'au moins la pierre était demeurée intacte.

– Désolée, j'étais pressée.

– Ah oui, et pourquoi ? Qu'est-ce que tu cherchais ? Tu as soigné ce garçon, c'est ça ? Je savais qu'il avait été mordu, mais c'est un humain.

– Et alors ? La vie avant tout, d'accord ? « Fais ce qu'il te plaît, tant que cela ne nuit à personne. »

Elle n'avait pas mis beaucoup de conviction dans cette citation de la règle principale de la Wicca[1].

– « Personne », ça ne veut pas dire les humains. Et qu'est-ce qu'il en a pensé ?

– Rien. Il ne savait pas que je le soignais. Il ne s'est même pas rendu compte qu'il avait été mordu.

Ce n'était pas tout à fait un mensonge.

Blaise la dévisageait de ses yeux gris, qu'elle finit par lever au ciel.

– Encore, si tu en avais profité pour lui échauffer les sangs, je comprendrais. Mais c'était peut-être bien ce que tu faisais, après tout...

– Absolument pas !

Malgré la rougeur qu'elle sentait lui monter aux joues, Thea parvint à garder une voix ferme, un ton glacial. Elle était encore habitée par la vision de sa mort.

– En fait, je ne tiens pas du tout à le revoir, et c'est ce que je lui ai dit, mais j'ai trouvé son fichu cahier et je ne sais pas quoi en faire.

Elle agita devant Blaise l'objet du délit.

– Ah... soupira celle-ci, la tête inclinée sur l'épaule.

1. Mouvement de sorcellerie créé en Grande-Bretagne par Gerald Gardner au XXe siècle.

Bon, je peux le lui rendre de ta part, si tu veux. Je vais déjà voir si je le trouve.

– C'est vrai ? Ce serait super gentil !

– Comme tu dis.

Blaise prit le cahier du bout des doigts, comme si elle venait de se mettre du vernis à ongles.

– Bon, j'ai un cours d'algèbre, là. Beurk ! Allez, salut !

Thea la regarda s'éloigner en se demandant ce qui se cachait sous cette attitude trop aimable. Ce n'était pas le genre de Blaise de faire des grâces. Qu'avait-elle derrière la tête ?

Thea suivit des yeux la chemise rubis qui venait de disparaître à l'angle du couloir des casiers et aperçut, dans le fond, une longue silhouette aux cheveux blond vénitien.

Jamais vu personne trouver quelqu'un aussi vite ! songea Thea amèrement. Elle se réfugia derrière la porte entrouverte d'un placard bleu.

Blaise s'approchait doucement d'Eric en ondulant des hanches. Elle lui posa une main sur le dos.

Le garçon sursauta, se retourna.

Elle se tenait là, sans rien dire.

Et cela suffisait. De par sa seule présence, elle envoûtait qui elle voulait, avec sa fabuleuse crinière brune et ses yeux gris étourdissants… sans compter cette silhouette propre à stopper la circulation d'une autoroute, tout en courbes voluptueuses, soulignées par des vêtements savamment choisis. Sur n'importe quelle autre fille, ils auraient paru trop apprêtés ; sur Blaise, ils semblaient faits pour elle. Les garçons qui prétendaient n'aimer que les physiques faméliques oubliaient tous leurs principes pour la suivre, aussi vite que ceux qui disaient n'aimer que les blondes.

Ni plus ni moins que les autres, Eric semblait déjà éperdu, muet de saisissement.

– Je m'appelle Blaise Harman, dit-elle de sa voix grave et veloutée. Et toi, c'est... Eric ?

Les yeux papillotants, il hocha la tête.

Il est complètement subjugué, se dit Thea. *Quel nase !*

Elle fut surprise de se sentir à ce point en colère.

– Tant mieux, parce que je dois rendre ce cahier à son propriétaire.

Telle une magicienne, Blaise brandit le cahier qu'elle avait gardé caché derrière son dos.

Il en parut soulagé.

– Oh ! Où est-ce que tu l'as trouvé ? Je le cherchais partout.

– C'est ma cousine qui me l'a confié, répondit-elle d'un ton désinvolte.

Pourtant, elle retint le cahier quand il voulut le prendre, et leurs doigts se touchèrent.

– Attends. Comme je te l'ai rapporté, tu me dois quelque chose, non ?

Elle avait susurré cela avec une telle sensualité… À présent, Thea savait très bien comment les choses allaient se passer.

Eric était fichu.

3

Perdu, mort, condamné. Blaise l'avait choisi. Elle jouerait avec lui comme le chat avec la souris avant de l'achever.

Une liste de noms défila dans l'esprit de Thea : Randy Marik, Jake Batista, Kristoffer Milton, Troy Sullivan, Daniel Xiong...

Et maintenant, Eric Ross.

Et voilà qu'il se mettait à parler, comme s'il revenait à la vie.

– Ta cousine ? C'est l'autre nouvelle, Thea ?

– Oui. Mais...

– Attends, tu sais où elle est ? Il faut absolument que je lui parle.

Son regard se perdit soudain dans le lointain.

– Elle est... je n'ai jamais rencontré quelqu'un comme ça...

Ébahie, Blaise lâcha le cahier et regarda autour d'elle.

De sa cachette, Thea n'en revenait pas non plus.

C'était bien la première fois qu'il arrivait une chose pareille. Ce garçon ne semblait même plus voir Blaise en face de lui.

Incroyable ! Par la déesse bleue de la Curiosité à tête de singe, Thea voulait absolument savoir pourquoi cela lui faisait tant plaisir !

Une sonnerie retentit. Blaise demeurait immobile, abasourdie. Eric fourra le cahier dans son sac à dos.

– Tu pourras lui dire que j'ai demandé de ses nouvelles ?

– Elle n'en a rien à fiche ! rétorqua Blaise d'une voix nettement moins mielleuse. Elle a dit texto qu'elle ne tenait pas du tout à te revoir. À ta place, je ferais gaffe, parce qu'elle a son petit caractère !

Eric parut prendre l'avertissement au sérieux et déglutit une ou deux fois. Sans dire au revoir à Blaise, il tourna soudain les talons et repartit vers le fond du couloir.

Comme Blaise revenait dans sa direction, Thea ne chercha même pas à se cacher.

– Comme ça, tu as tout vu ? maugréa sa cousine. J'espère que tu es contente !

À vrai dire, Thea était plutôt déroutée ; elle ressentait une incompréhensible agitation, et puis elle avait peur, parce que la coupe de la mort flottait toujours devant ses yeux.

– On ferait mieux de laisser tomber, conclut-elle.

– Tu rigoles ? Il est pour moi et je ne le lâche plus… sauf, bien sûr, si tu te l'es déjà réservé…

– Euh… bafouilla Thea. Enfin, non…

– Alors, je le prends ! J'aime bien quand ce n'est pas trop facile. Heureusement que mamie a des tonnes de talismans d'amour dans sa boutique !

– Blaise… N'oublie pas ce qu'elle a dit ! S'il y a la moindre histoire…

– On ne fera pas d'histoire, c'est lui qui va en faire.

Thea gagna le cours suivant, oppressée par une étrange sensation de vide.

Laisse tomber, songea-t-elle. *Tu n'y peux rien.*

En chemin, elle ne croisa pas beaucoup de créatures de la nuit. Un élève de seconde, sans doute un métamorphe ; une prof qui avait les yeux brillants d'une lamie, les vampires de naissance. Mais ni nouveau vampire ni loup-garou. Ni aucune autre sorcière.

Bien sûr, elle ne pouvait absolument l'affirmer. Quand on appartenait au Night World, on maîtrisait l'art du secret et on savait se mêler à la foule, passer inaperçu. C'était même ce qui vous permettait de survivre dans un monde où les humains étaient tellement plus nombreux… ces humains qui aimaient tant tuer tout ce qui ne leur ressemblait pas.

Cependant, une fois installée dans la salle où allait commencer le cours de littérature, Thea remarqua une fille dans la rangée voisine.

Menue et jolie, elle avait des cils épais et une longue chevelure noire brillante, le visage en forme de cœur avec des fossettes. Mais ce qui avait attiré l'attention de Thea, c'était sa main jouant avec un badge, sur sa veste à rayures noires et blanches. Un badge représentant une fleur noire.

Un dahlia.

Thea ouvrit aussitôt son cahier à une nouvelle page et, alors que le professeur lisait un passage de *Rashomon*, elle se mit à dessiner un dahlia noir, passant et repassant dessus jusqu'à ce que la fille puisse l'apercevoir. Quand elle releva la tête, elle put constater que celle-ci la regardait.

Ses yeux se baissèrent ostensiblement vers le dessin, puis remontèrent vers le visage de Thea. Avec un léger mouvement de la tête, elle lui sourit.

Thea lui répondit de même.

Après le cours, elles n'eurent pas besoin de s'adresser la parole pour que Thea la suive d'office vers l'entrée du lycée. Enfin, la fille jeta un coup d'œil autour d'elles pour s'assurer que personne ne les écoutait, avant de lancer d'un ton quelque peu nostalgique :

– Cercle de minuit ?

Thea secoua la tête :

– Cercle du crépuscule. Et toi ?

Le visage de la fille s'illumina. Elle avait des prunelles de velours noir.

– Aussi. À part moi, il n'y en a que deux, enfin en terminale, mais qui appartiennent au Cercle de minuit. Je n'osais plus espérer !

Sa bouche s'étira en un large sourire plein de fossettes et elle tendit la main :

– Je m'appelle Dani Abforth.

Thea sentit son cœur s'alléger et sourit à son tour :

– Thea Harman. Unité.

C'était, depuis des âges, le salut entre sorcières. Le symbole de leur harmonie, de leur identité.

– Unité, murmura Dani.

D'un seul coup, celle-ci écarquilla les yeux.

– Harman ? Tu es une femme de la Terre ? Une fille d'Hellewise ? C'est vrai ?

Thea éclata de rire.

– On est toutes des filles d'Hellewise.

– Oui, mais tu vois ce que je veux dire. Tu es une descendante directe. C'est un honneur de faire ta connaissance.

– Et pour moi, de faire la tienne. Abforth, ça veut bien dire « tout engendrer », n'est-ce pas ? C'est un but extraordinaire.

Comme Dani restait bouche bée, Thea s'empressa d'ajouter :

– Ma cousine est là aussi… Blaise Harman. On est toutes les deux nouvelles ; mais toi aussi, je suppose. Je ne t'avais jamais vue à Las Vegas.

– On est venus s'installer ici le mois dernier. Mais si toi aussi tu es nouvelle, c'est normal qu'on ne se soit pas rencontrées… non ?

– Bon, soupira Thea, c'est un peu compliqué…

– On se retrouve ici pour le déjeuner ?

Thea acquiesça, demanda son chemin pour trouver la salle où se tenait son cours de français, et fila vers l'autre extrémité du bâtiment.

Durant les deux heures qui suivirent, elle fit son possible pour écouter les professeurs, mais elle avait toutes les peines du monde à éloigner de son esprit les yeux verts mouchetés de gris…

À l'heure du déjeuner, elle retrouva Dani assise sur les marches de l'entrée ; elle prit place à côté d'elle, ouvrit une bouteille d'eau plate et un yaourt au chocolat qu'elle avait achetés au snack.

– Tu devais m'expliquer comment tu connaissais Las Vegas, lui rappela Dani.

Elle ne parlait pas fort, car elles étaient entourées d'élèves qui se prélassaient au soleil en mangeant leurs sandwichs.

L'œil posé sur une rangée de palmiers, Thea poussa un nouveau soupir.

– Blaise et moi... nos deux mères sont mortes à notre naissance. Elles étaient jumelles. Après, c'est arrivé à nos deux pères. Alors, on a été élevées par divers membres de la famille ; en général, on passait l'été chez mamie Harman, et on vivait chez quelqu'un d'autre les mois restants. Mais ces deux dernières années... enfin bref, on a fait cinq lycées différents depuis la seconde.

– Cinq ?

– Cinq. Enfin, je crois. Par Isis, peut-être six !

– Mais pourquoi ?

– Parce qu'on se faisait tout le temps renvoyer.

– Mais...

– À cause de Blaise ! Elle s'en prend aux garçons... enfin, aux garçons humains... Et ça se termine toujours de la même façon, on est virées du lycée. Toutes les deux, parce que je suis trop bête pour oser dire qu'elle est la seule responsable de ces histoires.

– Pas bête, loyale, corrigea Dani en lui prenant la main.

Thea la serra, trop heureuse de trouver enfin un peu de réconfort.

– Toujours est-il que cette année, on habitait chez l'oncle Galen, dans le New Hampshire, et il a fallu que Blaise recommence. Cette fois avec le capitaine de l'équipe de foot. Il s'appelait Randy Marik...

Comme Thea marquait une pause, Dani insista :

– Qu'est-ce qui lui est arrivé ?

– Il a incendié l'école sur son ordre.

Dani laissa échapper un ricanement aussi moqueur que désapprobateur. Mais elle se reprit vite.

– Pardon, ce n'est pas drôle. Comment ça, sur son ordre ?

Thea s'adossa à la rampe de fer forgé.

– C'est ça, le truc de Blaise, marmonna-t-elle sombrement. Elle aime dominer les garçons, leur tourner la tête. Les entraîner à accomplir des actes qu'ils s'interdiraient en temps normal. Pour prouver leur amour, tu vois. L'ennui, c'est qu'elle ne les lâche qu'une fois réduits en miettes...

Les yeux dans le vague, elle continua :

– Tu aurais vu Randy à la fin... il avait complètement perdu l'esprit. Je ne suis pas sûre qu'il le retrouve jamais.

Dani ne riait plus du tout.

– Ce genre de pouvoir... ça fait penser à Aphrodite.

C'est vrai, songea Thea. Aphrodite, la déesse grecque de l'Amour, capable de susciter une passion telle qu'elle pouvait en faire une arme propre à mettre le monde à genoux.

– Rappelle-moi de te raconter un de ces jours ce qu'elle a fait aux autres garçons avec lesquels elle a joué. Dans un sens, Randy a eu de la chance...

Thea reprit son souffle, avant d'ajouter :

– Résultat, on se retrouve ici, chez mamie, parce que plus personne ne veut de nous. Et ils estiment que si elle ne peut pas nous maîtriser, personne n'y arrivera plus.

– Mais ce doit être génial ! s'exclama Dani. Je veux dire, vivre ici, avec l'Aïeule. Si ma mère a voulu faire déménager ma famille ici, c'est parce qu'elle rêvait d'étudier avec ta grand-mère.

– Oui, les gens viennent de partout pour suivre ses cours ou pour acheter ses amulettes et ses philtres. Mais tu sais, elle n'est pas toujours facile à vivre. Elle use plus d'une apprentie par an.

– Alors, elle va savoir maîtriser Blaise ?

– Ça, je crois que personne n'y arrivera jamais. C'est naturel chez ma cousine, comme chez un chat de jouer avec une souris. Et si on provoque encore des histoires, mamie menace de nous envoyer chez notre tante Ursula, dans l'enclave du Connecticut.

– Le Couvent ?

– Oui.

– À ta place, je me tiendrais tranquille.

– Je sais ! Dani, tu crois que dans cette école Blaise pourrait éviter de faire des histoires ?

– Euh… Je te l'ai dit, il n'y a que deux autres sorcières en terminale et elles appartiennent toutes les deux au Cercle de minuit. Tu les connais peut-être… Vivienne Morrigan et Selene Lucna ?

Thea se sentit défaillir. Vivienne et Selene… elle les avait vues durant les Cercles de l'été, vêtues des robes les plus sombres parmi les filles du Cercle de minuit. Associées à Blaise, elles pourraient… faire des ravages.

– Si tu leur expliquais combien c'est important pour toi, elles pourraient sans doute t'aider à maîtriser Blaise. Tu veux qu'on aille leur parler tout de suite ? Elles doivent être dans la contre-allée, près de la cafétéria. Je déjeune souvent avec elles, là-bas.

– Euh…

Thea hésitait, pas certaine que ce soit une bonne idée. D'un autre côté, elle n'en avait pas de meilleure.

– Pourquoi pas ? conclut-elle.

En chemin, son regard tomba sur une énorme affiche orange et noire placardée sur le mur, qui lui souleva le cœur. Elle avait pour titre : « LE 31 OCTOBRE, GRANDE SOIRÉE HALLOWEEN ». Une vieille sorcière aux cheveux blancs hirsutes et au visage plein de verrues, portant robe noire et chapeau pointu, y chevauchait un balai.

– Quand apprendront-ils que les sorcières ne portent pas de chapeaux pointus ? s'exclama-t-elle, les mains sur les hanches.

Dani eut une expression de défi :

– Qui sait si ce n'est pas ta cousine qui a raison, finalement ?

Thea lui jeta un regard surpris, ce qui n'empêcha pas Dani de poursuivre :

– Attends, c'est une espèce inférieure ! Reconnais-le. Ça semble peut-être raciste de dire ça, mais ils le sont tellement eux-mêmes !

Elle tendit son bras d'un joli brun clair le long de celui de Thea.

– Tiens, ils diraient, eux, que nous sommes de deux races différentes et qu'il y en a une supérieure à l'autre.

Thea ne pouvait le nier ; elle se contenta d'objecter faiblement :

– Et alors ? On ne répare pas une faute par une autre.

– Si ! s'esclaffa Dani. Moins plus moins égale plus.

Tout à sa bonne humeur, elle déboucha dans la contre-allée.

– Elles devraient être par là... Oh, ouille !

Vivienne et Selene se trouvaient à l'autre bout, en compagnie de Blaise devant une table isolée.

– J'aurais dû me douter qu'elle irait tout de suite les chercher, murmura Thea.

Il suffisait de voir leurs têtes penchées pour comprendre qu'elles tramaient déjà un mauvais coup.

Comme Thea et Dani approchaient de la table, Blaise leva la tête.

– Tu étais où ? s'écria-t-elle en agitant un index accusateur. Je voulais te présenter.

Tout le monde se dit bonjour et Thea prit place, face aux deux autres filles.

Les cheveux d'un roux flamboyant, Vivienne paraissait de haute taille, même assise. Elle avait un visage expressif et débordait d'énergie. Plus petite et blond platine, Selene avait de ces yeux bleus qu'on ne pouvait sonder, et se mouvait avec une grâce languide.

Bon, songea Thea, *comment leur demander de m'aider à maîtriser ma cousine ?* Au moins, elle se rendait compte que cela ne servirait à rien. Viv et Selene semblaient tombées sous le charme de Blaise, la consultant sans cesse du regard pour guetter son approbation. Même Dani la contemplait déjà avec une sorte de fascination.

Blaise produisait toujours cet effet sur les gens.

– On parlait de garçons, indiqua Selene en tournant une paille dans son thé glacé.

Thea crut défaillir.

– Des trophées, précisa Vivienne d'une voix mélodieuse.

Thea se sentit prise d'une méchante migraine.

Pas étonnant que Blaise affiche cet air narquois. Ces filles sont exactement comme elle ! Ce n'était pas la première fois qu'elle croisait de ces jeunes sorcières qui frôlaient sans cesse les interdits du Night World en jouant de leur pouvoir sur les garçons.

– Il n'y a pas de mecs de notre espèce par ici ? demanda-t-elle sans y croire.

Vivienne leva les yeux au ciel :

– Si, un élève de seconde, Alaric Breedlove, du Cercle du crépuscule. Et c'est tout ! Cet endroit est un désert... sans jeu de mots.

Ce qui n'avait rien d'étonnant. Les sorcières avaient toujours été plus nombreuses que les sorciers... sans que personne ne soit capable d'expliquer pourquoi. Dans ce monde, il naissait beaucoup plus de filles que de garçons et c'était particulièrement criant dans certaines régions.

– Alors il faut faire avec, conclut Selene d'une voix traînante. Parfois, c'est amusant. La fête annuelle du lycée a lieu samedi et je me suis trouvé mon cavalier.

– Moi aussi, dit Blaise.

Elle jeta un regard entendu à sa cousine.

Cette fois, le doute n'était plus possible. Thea en eut la gorge serrée.

– Eric Ross, appuya Blaise avec délectation. Viv et Sel m'ont absolument tout raconté sur lui !

– Eric ? s'enquit Dani. C'est la star de l'équipe de base-ball du lycée, non ?

– Star de base-ball, répondit Vivienne, et aussi de tennis. En plus, il est intelligent. Il suit les cours réservés aux meilleurs élèves et travaille à la clinique vétérinaire. C'est ce métier qu'il aimerait faire.

Voilà donc pourquoi il avait voulu sauver le serpent ! Et pourquoi il dessinait des vers plats dans son cahier.

– Et puis il est tellement mignon ! observa Selene. Tellement timide avec les filles... c'est tout juste s'il arrive à leur adresser la parole. On a eu beau essayer, on n'a rien pu tirer de lui jusqu'ici.

– C'est parce que vous ne savez pas vous y prendre, intervint Blaise, le regard songeur.

Le cœur lourd, la tête douloureuse, Thea ne voyait d'autre solution que d'intervenir maintenant.

– Blaise... Écoute, je ne te demande pas souvent quelque chose. Mais là, oui. Je voudrais que tu laisses Eric tranquille. Tu peux bien faire ça pour moi. Au nom de notre Unité.

Sa cousine cligna lentement des paupières, but une longue gorgée de thé glacé.

– Ne stresse pas, Thea !

– Je ne stresse pas.

– Je ne savais pas que tu y tenais tant que ça.

– Pas du tout ! Mais je m'inquiète pour toi, pour nous toutes. Je crois...

Elle n'avait pas l'intention de parler ainsi, mais cela lui échappa presque :

– Je crois qu'il se doute de quelque chose. Ce matin, il m'a dit que j'étais différente des autres filles...

Elle parvint à s'arrêter avant d'ajouter qu'il avait sans doute deviné qu'elle l'avait guéri. Ce serait extraordinairement dangereux, d'autant qu'elle ignorait à qui Vivienne et Selene pourraient ensuite aller le répéter.

Les pupilles de Blaise s'écarquillèrent :

– Attends... tu crois qu'il est médium ?

– Non, non.

Elle savait que ce n'était pas le cas. Elle avait sondé son esprit et il ne provenait d'aucune famille de sorciers, même éloignée. Il n'avait aucun pouvoir spécial. Il était tout aussi humain que le serpent était serpent.

– Alors ! s'esclaffa Blaise. Il te trouve différente... il n'y a pas de quoi s'inquiéter ! C'est bien ce qu'on attend d'eux, non ?

Elle ne comprenait rien. Et Thea ne pouvait lui en

expliquer davantage, de peur de s'aventurer sur un terrain trop glissant.

– Alors, si tu n'y vois pas d'inconvénient, reprit Blaise courtoisement, on va dire qu'il est à moi. C'est réglé. Maintenant, qu'est-ce qu'on fait avec les garçons samedi ? Pour commencer, on pourrait récupérer leur sang ?

Dani sursauta :

– Quoi ?

– Juste un peu de sang, continua Blaise d'un ton préoccupé. Il nous sera absolument indispensable pour les sorts qu'on voudra jeter ensuite.

– Alors là, bonne chance ! Les humains n'aiment pas le sang. Si vous faites ça, ils vous fuiront toutes comme des lapins effarouchés.

Blaise lui décocha un demi-sourire :

– Ça m'étonnerait. Tu n'as pas compris le truc. Quand on le fait bien, personne ne s'enfuit. Ça leur fait peur, ça les choque, mais ils en redemandent.

À son tour, Dani parut choquée... et pourtant toujours aussi fascinée.

– Mais pourquoi leur faire du mal ?

– On fait ce qu'on a à faire, susurra Blaise.

Je m'en fiche, se disait Thea, *je ne suis pas concernée.*

Pourtant, elle s'entendit répondre :

– Non.

Elle considérait le tas de serviettes chiffonnées qu'elle tenait dans la main. Du coin de l'œil, elle repéra l'expression exaspérée de sa cousine. Sans doute les autres n'avaient-elles pas compris à quoi au juste elle disait non, mais Blaise la comprenait toujours.

– Je t'ai d'abord demandé si tu voulais le garder, insista celle-ci. Et tu as dit que non. Alors maintenant, tu changes d'avis ? Tu vas t'amuser avec lui ?

Thea contemplait toujours la boule qu'elle venait de former avec les serviettes. *Que dire ? Je ne peux pas parce que j'ai peur ? Je ne peux pas parce qu'il s'est produit quelque chose entre lui et moi ce matin, et je ne sais pas ce que c'était ? Je ne peux pas parce que si j'éprouve ces sentiments, je pourrais me mettre hors la loi, et d'une façon bien pire encore que si je révélais notre existence à un humain... en commettant la plus grave des infractions, autrement dit, tomber amoureuse...*

Arrête de divaguer.

Pas question d'en arriver là. Il s'agit juste de lui éviter de finir comme Randy Marik. Et tu peux le faire sans t'impliquer directement.

– D'accord, disons que je veux le garder pour moi, déclara-t-elle tout haut.

– Tu vas t'amuser avec lui ?

– Oui, c'est ça.

Cette fois, Blaise éclata de rire :

– Bravo, félicitations ! Ma petite cousine qui commence enfin à évoluer !

Thea lui décocha un regard noir :

– Oh, ça va !

Toutes deux n'avaient qu'un jour de différence… à peine, puisque Blaise était née à minuit moins une et Thea, à minuit une. Autre raison pour laquelle elles se sentaient si intimement liées. À cette différence près que Thea avait horreur de la voir jouer les aînées.

Blaise se contenta de sourire, les yeux brillants.

– Tiens, justement, lança-t-elle en feignant la surprise. Voici notre bel amoureux qui rapplique.

Thea suivit son mouvement du menton et aperçut une silhouette aux longues jambes et aux cheveux blond vénitien qui débouchait à l'autre bout de la contre-allée.

– Tu en as de la chance ! conclut Blaise. Si tu en profitais pour aller lui demander d'être ton cavalier samedi ?

4

À cet instant, Thea éprouva comme de la haine envers sa cousine.

Elle n'avait cependant pas le choix. Quatre paires d'yeux étaient posées sur elle, les prunelles grises de Blaise, les émeraudes de Vivienne, les bleu clair de Selene et les velours noirs de Dani. Quatre filles qui attendaient.

Thea se leva pour traverser la contre-allée.

Elle avait l'impression que tout le monde la regardait. Aussi s'efforça-t-elle de conserver une démarche assurée, une expression sereine. Ce qui n'était pas facile. Plus elle approchait de ces cheveux blond vénitien, plus elle avait envie de s'enfuir. Sa vision se rétrécissait tellement qu'elle croyait avoir des œillères et qu'autour du profil d'Eric tout devenait flou.

À l'instant où elle parvenait à portée d'oreille, il leva la tête et la vit arriver.

Il en parut stupéfait. Leurs regards se croisèrent un instant. Il possédait des iris encore plus verts que ceux de Vivienne, plus intenses, plus innocents.

Soudain il se détourna, descendit en hâte un chemin entre deux bâtiments et disparut sans laisser à Thea le temps de comprendre ce qui se passait.

Elle en demeura clouée sur place, incapable de ressentir autre chose qu'un énorme vide où ne résonnaient plus que les battements de son cœur.

Bon, il ne veut plus me voir. Normal. C'est peut-être mieux comme ça ; si ça se trouve, Blaise dira qu'on laisse tomber.

Cependant, en regagnant la table, elle vit que sa cousine faisait la grimace.

– Tu n'as vraiment pas la technique, maugréa celle-ci. Mais bon, je vais t'apprendre.

– On t'aidera, Viv et moi, dit Selene. Ça ira plus vite.

– Non, merci… rétorqua Thea, vexée. Je me débrouillerai seule. Demain. Je sais déjà ce que je vais faire.

Dani lui serra la main sous la table.

– Ça se passera bien.

– Mais pas plus tard que demain, recommanda Blaise. Sinon, j'en conclurai que tu n'y tiens pas tant que ça.

Ce fut là qu'à l'immense soulagement de Thea, la cloche sonna.

– Aubépine, achillée, angélique...

Thea examinait le contenu d'un lourd bocal bleu sans étiquette.

– Sans doute une poudre maléfique...

Elle se sentait bien dans la boutique de sa grand-mère, fermée à cette heure tardive, parmi toutes ces plantes, ces pierres et autres amulettes qui la rassuraient, en quelque sorte. Comme si elle y trouvait une certaine puissance.

J'aime bien cet endroit, songea-t-elle en contemplant les étagères qui tapissaient les murs du sol au plafond et débordaient de flacons, de boîtes et de fioles poussiéreuses. Un panneau entier était consacré aux pierres, polies ou non, rares, semi-précieuses, certaines gravées de symboles ou de formules, certaines encore pleines de terre. Thea aimait passer la main dessus en murmurant leurs noms : tourmaline, topaze miel, jade blanc.

Et puis venaient les herbes aromatiques, tout ce qu'il fallait pour soigner une indigestion ou pour attirer un amoureux, pour apaiser l'arthrite ou jeter un sort à son patron. Certaines, les simples, fonctionnaient qu'on soit sorcière ou non. C'étaient juste des remèdes naturels et mamie les vendait aussi aux humains. Tandis que les véritables sortilèges exigeaient à la fois une connaissance ésotérique et un pouvoir psychique qui demeuraient inaccessibles à la race humaine.

Thea préparait un véritable sortilège.

D'abord, de la pensée sauvage ; cela fonctionnait dans tous les philtres d'amour. Elle ouvrit une boîte et passa doucement les doigts sur les fleurs séchées mauve et jaune, puis en jeta une poignée dans un petit filet.

Quoi encore ? Les roses, cela allait de soi. Elle dévissa le couvercle d'un grand bocal, huma un instant l'enivrante fragrance qui s'en échappa, se servit.

Camomille, oui. Romarin, oui. Lavande... Elle déboucha un petit flacon d'essence de lavande. Cela, elle en avait besoin tout de suite. Elle en versa quelques gouttes dans sa paume, qu'elle mélangea avec de l'huile de jojoba avant de s'en frotter les tempes et la nuque.

Circule, mon sang ! Calme-toi, ma tête !

Toute sa tension s'évanouit presque instantanément. Poussant un long soupir, elle regarda autour d'elle.

Que la charpente de la Terre lui vienne aussi en aide ! Du quartz rose taillé en forme de cœur, pour l'attirance. Un morceau d'ambre brut pour l'envoûtement. Et un peu de magnétite ainsi que quelques petits grenats pour la fièvre.

C'était fait. Demain matin, elle prendrait un bain, après avoir laissé infuser ce philtre dans la baignoire encerclée de bougies rouges. Elle s'imprégnerait du puissant parfum de ce mélange et, quand elle en sortirait, serait irrésistible.

Elle allait quitter la boutique, lorsqu'une pochette de cuir attira son attention.

Non. Pas ça ! se dit-elle. *Tu viens de composer un philtre destiné à t'attirer intérêt et affection. Tout ce qu'il faut pour obliger Eric à t'écouter.*

Pas besoin de quelque chose de plus fort.

Pourtant, elle ne put s'empêcher de l'ouvrir pour y jeter un coup d'œil.

La pochette contenait une poignée de copeaux rougeâtres de la taille d'un ongle, au puissant parfum boisé.

Racine de Iemanja. Attire les cœurs les plus récalcitrants. Mais en principe interdite aux jeunes filles.

Sans y réfléchir davantage, Thea ajouta une dizaine de copeaux à son mélange, puis referma la pochette et la remit à sa place.

– Tu as trouvé ? lança une voix derrière elle.

Thea fit volte-face. Mamie se tenait au pied de l'escalier qui menait à son appartement au-dessus de la boutique.

Elle cacha le philtre derrière son dos.

– Euh... pardon ?

– Le domaine où tu vas te spécialiser ? Les plantes, les pierres, les amulettes... ? J'espère que tu ne vas pas devenir psalmodieuse, j'ai horreur de ces litanies geignardes.

Thea aimait la musique et tout ce que sa grand-mère venait de mentionner. Mais elle aimait encore plus les animaux. Et il n'y avait pas beaucoup de place pour eux dans la vie d'une sorcière, du moins depuis qu'ils en avaient été écartés à cause des humains, qui les jetaient volontiers dans le bûcher avec elles.

On pouvait toujours recourir à des morceaux d'animaux, pattes de lézard, langues de rossignol. Blaise voulait plutôt utiliser les animaux à ses fins, mais Thea tentait de l'en empêcher par tous les moyens.

– Je ne sais pas, mamie. J'y réfléchis encore.

– Bon, tu as le temps, mais pas trop.

Le visage d'Edgith Harman était plein de rides, elle avait le dos voûté et s'appuyait sur deux cannes, pourtant on pouvait dire qu'elle était en forme pour une personne âgée de plus de cent ans qui tenait encore un commerce et tyrannisait toutes les sorcières du pays.

– N'oublie pas qu'à l'âge de dix-huit ans tu devras prendre une décision. Avec Blaise, vous êtes les dernières représentantes de notre lignée. Les deux descendantes directes d'Hellewise. Cela vous donne de sacrées responsabilités... Vous devez montrer l'exemple.

– Je le sais.

À dix-huit ans, elle devrait choisir non seulement sa branche, mais aussi le cercle qu'elle allait rejoindre pour la vie, celui du crépuscule ou de minuit.

– Je vais y réfléchir, mamie, promit-elle en passant son bras libre sur l'épaule de la vieille dame. J'ai encore six mois.

D'une main douce aux veines proéminentes, celle-ci caressa la joue de Thea, qui cachait toujours le philtre derrière son dos.

– Mamie ? C'est vrai que tu es furieuse de devoir supporter notre présence toute l'année scolaire ?

– Je trouve que vous mangez beaucoup et que vous laissez des cheveux dans la douche... mais il n'y a pas de quoi en faire une maladie. Tant que vous vous tiendrez tranquilles jusqu'à la fin du mois...

Voilà qu'elle en reparlait.

– Mais qu'est-ce que c'est que cette histoire de fin du mois ?

Sa grand-mère la toisa du regard :

– Samhain, évidemment. La Toussaint.

– Oui, je sais.

Comme si elle l'ignorait ! Même les humains célébraient Halloween. Elle se demanda si mamie ne perdait pas parfois un peu la mémoire.

– Samhain et le Cercle vital, lâcha mamie. Cette année, ils ont choisi de se réunir dans le désert.

– Le désert... tu veux dire ici ? Le Cercle vital va venir ici ? Mère Cybèle et Araya, et tous les autres ?

– Tout le monde. Et, par l'air et par le feu, je ne vous laisserai pas tout gâcher par vos sottises. J'ai une réputation à maintenir.

Un rien sonnée, Thea hocha la tête.

– Je... d'accord, je vois pourquoi tu t'inquiètes. Mais on ne te causera pas d'ennuis, c'est promis.

– Bon.

Alors que Thea glissait discrètement le philtre sous son bras et se dirigeait vers l'escalier, la vieille femme lança :

– Tu devrais ajouter du plantain à ton mélange, pour mieux le lier.

Thea s'empourpra.

– Euh... merci, mamie.

Au-dessus de la boutique se trouvaient une kitchenette, une salle de bains et deux minuscules chambres. Leur grand-mère en occupait une et les cousines se partageaient l'autre. Tobias, l'apprenti, avait été relégué dans l'atelier du rez-de-chaussée.

Allongée sur son lit, Blaise lisait un livre épais à la couverture rouge. De la poésie. Malgré son attitude superficielle, ce n'était pas une cervelle d'oiseau.

– Devine ce que je viens d'apprendre ! lança Thea.

Sans attendre de réponse, elle lui annonça l'arrivée du Cercle vital.

En même temps, elle guettait une réaction, curieuse de voir si la nouvelle allait effrayer Blaise ou au moins l'inciter à prendre de bonnes résolutions. Cependant, celle-ci ne fit que bâiller et s'étirer comme un chat repu.

– Super ! Comme ça, on les verra peut-être encore invoquer leurs ancêtres.

L'air entendu, elle haussa un sourcil. Deux années auparavant, dans le Vermont, alors que les humains fêtaient les morts, elles s'étaient cachées derrière des arbres pour épier l'invocation de Samhain. Elles avaient vu les anciens recourir à la magie d'Hécate, la première de toutes les sorcières, déesse de la Lune, de la Nuit et de la Sorcellerie, pour amener un esprit à traverser le voile. Aux yeux de Thea, ce rituel avait été aussi effrayant qu'impressionnant. Quant à Blaise, elle s'était enthousiasmée sans éprouver la moindre crainte.

Inutile d'essayer de lui faire peur.

Thea contemplait les fleurs en forme de triple étoile qu'elle tenait dans sa paume. Et puis elle les mangea, une à une.

– Maintenant, indiqua Selene, tu dois dire : *Ego borago guadia semper ago.* Ce qui signifie : « Moi, bourrache, je donne toujours du courage. » Un vieux proverbe romain.

Thea répéta ces paroles. C'était le deuxième jour d'affilée qu'elle guettait une silhouette aux cheveux blond vénitien dans la contre-allée.

– Vas-y, fonce ! lança Blaise.

Vivienne et Dani acquiescèrent. Thea s'avança d'un pas décidé.

Dès qu'Eric l'aperçut, il changea de direction.

Abruti ! songea-t-elle. *Tu ne comprends rien. Tu mériterais que je laisse Blaise te sauter dessus.*

Pourtant, elle le suivit. Il avait contourné l'angle du bâtiment et venait de s'arrêter, l'air songeur. Elle ne le voyait que de profil... Il semblait très seul.

Elle sentait encore dans sa bouche le doux arôme de la bourrache. Qu'allait-elle lui dire ? Elle n'avait pas l'habitude de parler aux humains, surtout aux garçons.

Je vais juste lui demander si ça va et rester naturelle. Pourtant, quand elle ouvrit la bouche, ce fut pour dire :

– Désolée.

Il fit volte-face, surpris :

– Pardon ?

– Excuse-moi d'avoir été si nulle. D'après toi, pourquoi je te suis ?

Il cligna des yeux et elle eut l'impression de le voir rosir sous son bronzage.

– Je croyais que tu m'en voulais parce que je n'arrêtais pas de te fixer, avoua-t-il. Je ne cherchais pas à te mettre la pression...

À son tour, elle se sentit rougir.

– Tu me fixais ?

– Enfin... j'essayais de regarder ailleurs. Je ne me tournais vers toi que toutes les trente secondes.

Il avait dit ça sérieusement.

Thea faillit pouffer de rire.

– C'est pas grave.

Elle avait l'impression de sentir les effluves de son bain exsuder de sa peau, le parfum des roses et des pensées, le piment des racines de Iemanja.

Eric parut la croire sur parole.

– C'est moi qui regrette d'avoir été trop nul. Avec le serpent, je veux dire. Je jure que je ne te racontais pas d'histoires.

Un signal d'alarme retentit en Thea. Elle préférait ne pas repenser à ce qui s'était passé dans le désert.

– Oui, d'accord, je sais, dit-elle.

Il la dévisageait avec une telle intensité, de ses yeux si verts...

– Tu vois, ajouta-t-elle, si je voulais te parler c'était pour... enfin, tu sais, samedi soir... Je pensais qu'on pourrait y aller ensemble.

À la dernière minute, elle se rappela que dans la société humaine c'étaient plutôt les garçons qui invitaient les filles. Elle s'était peut-être montrée un peu trop directe.

Pourtant il avait l'air... assez content.

– Tu plaisantes ? Non, c'est vrai, tu veux y aller avec moi ?

Thea hocha la tête.

– Mais c'est génial ! Je veux dire... merci !

Il était ravi comme un gosse à Beltane. Pourtant, son visage s'assombrit soudain.

– Ah, non ! J'avais oublié... J'ai promis au Dr Joan, mon patron à la clinique vétérinaire, de prendre mon tour de garde de samedi minuit à dimanche huit heures, parce qu'il a une conférence.

– C'est pas grave, la fête s'achèvera de toute façon avant minuit.

Elle était soulagée. Ainsi, elle n'aurait pas besoin de jouer la comédie trop longtemps devant Blaise.

– Alors d'accord, conclut Eric, l'air ravi. Thea...

Il articulait toujours son prénom avec une sorte de timidité, comme si cela lui faisait peur.

– Thea, si tu veux, on pourra peut-être sortir ailleurs une autre fois. Je veux dire... tu pourrais venir chez moi...

– Euh...

Elle avait le vertige. Le parfum de Iemanja tournait vraiment la tête.

– Euh... c'est-à-dire que cette semaine, j'essaie de m'adapter au rythme de cette nouvelle école et tout. Mais plus tard, peut-être.

– C'est bon, plus tard.

Il lui offrait un large sourire totalement surprenant, qui faisait véritablement rayonner son visage timide.

– Si je peux t'aider, ajouta-t-il, n'hésite pas.

Il est vraiment beau, songea Thea sous le charme. Elle n'avait pas encore pris conscience de son pouvoir de séduction, elle n'avait pas vu à quel point les taches grises de ses prunelles pouvaient capter la lumière...

Arrête ! On traite de choses sérieuses ici, et tu n'as affaire qu'à une vermine. Elle se sentit presque gênée d'utiliser un tel mot pour lui, même en pensée. Pourtant, il fallait bien faire quelque chose. Sans le vouloir, elle s'était rapprochée de lui et le regardait droit dans les yeux. Maintenant qu'ils se tenaient si près l'un de l'autre, elle avait le tournis.

– Il faut que j'y aille, soupira-t-elle en reculant. À plus tard.

– À plus.

Il rayonnait.

Et Thea prit la fuite.

Mercredi et jeudi, elle s'efforça de l'éviter, détournant la tête quand elle le croisait dans les couloirs comme si elle pensait à autre chose. Il avait l'air de comprendre et n'insista pas. Elle espérait seulement qu'il n'afficherait pas trop longtemps cet air de douce béatitude.

Et puis il y avait Blaise, déjà suivie en permanence par au moins deux footballeurs, Buck et Duane, qu'elle n'avait pourtant pas invités à la fête. Elle avait une méthode bien à elle pour choisir ses cavaliers. Elle leur disait à tous d'aller voir ailleurs.

– Oublie-moi, lança-t-elle à un superbe garçon d'origine asiatique.

Il avait un air de pirate avec sa boucle d'oreille.

C'était le vendredi, à l'heure du déjeuner. Les sorcières occupaient une table à elles seules : Vivienne, Blaise et Selene d'un côté, Dani et Thea de l'autre. Le beau pirate avait posé un genou sur une chaise et paraissait très enthousiaste.

– Tu ne tiendras pas le choc, Kevin. Je vais te faucher, ne reste pas ici.

– Mais je suis riche ! assura-t-il, sans s'émouvoir.

– Je ne parle pas d'argent, rétorqua-t-elle avec un sourire méprisant. En plus, je ne crois pas que tu y tiennes tant que ça.

– Tu rigoles ? Je suis dingue de toi. Chaque fois que je te vois... je ne sais pas, ça me rend dingue.

Il jeta un coup d'œil vers les autres filles, comme s'il n'aimait pas trop qu'elles assistent à cette conversation. Ce qui ne le découragea pas pour autant.

– Je ferais n'importe quoi pour toi.

– Ça m'étonnerait, murmura Blaise en jouant avec l'anneau qui enserrait son index.

– C'est quoi, ça ? s'enquit Vivienne d'une voix nonchalante.

– Oh, juste un petit diamant.

Blaise tendit le doigt pour faire scintiller la pierre au soleil.

– C'est Stuart MacReady qui me l'a donné ce matin.

Kevin se redressa.

– Je peux t'en offrir dix comme ça !

Thea en fut navrée pour lui. Il avait l'air sympathique et elle l'avait entendu dire qu'il voulait devenir musicien. Cependant, elle savait très bien qu'il serait inutile de lui conseiller de filer, que cela ne ferait que le braquer.

– Je ne t'ai rien demandé, le réprimanda doucement Blaise. Stuart me l'a donné parce que c'était l'unique souvenir qu'il gardait de sa mère, parce que ça représentait tout pour lui... c'est pour ça qu'il a voulu me le donner.

– Mais je suis prêt à en faire autant.

– Ça m'étonnerait, répéta-t-elle en secouant la tête.

– Je te le jure.

– Non. Parce que ce qui compte pour toi, c'est ta voiture et que tu ne voudras jamais y renoncer.

Thea l'avait vue, cette voiture, une Porsche gris métallisé que Kevin nettoyait amoureusement avec une peau de chamois chaque matin, dans le parking de l'école.

La suggestion parut le dérouter.

– Mais... elle ne m'appartient pas vraiment. C'est à mes parents. Ils me la prêtent, c'est tout.

– Tu vois ? conclut Blaise. Je te l'avais dit. Allez, rentre chez papa et maman, et sois bien sage.

Il parut s'effondrer sur place, lui jeta un regard suppliant sans bouger d'un pouce. Finalement Blaise dut adresser un coup d'œil excédé aux deux footballeurs.

– Allez, viens, dit l'un d'eux à Kevin.

Ils le prirent par l'épaule et l'entraînèrent. Comme il se retournait encore, elle le chassa d'un geste méprisant de la main.

Selene repoussa une mèche blonde de son visage.

– Tu crois qu'il va finir par te la laisser, cette voiture ?

Blaise sourit :

– On va bien voir... En tout cas, je n'irai pas à pied à la fête, même si je n'ai pas encore choisi qui m'y conduira...

Dani, qui était restée silencieuse pendant tout le repas, contemplait Blaise d'un air à la fois admiratif et horrifié.

– J'y vais, maugréa Thea en se levant.

À son grand soulagement, Dani lui emboîta le pas.

– Au fait ! s'écria sa cousine en ouvrant son sac à dos. J'allais oublier de te donner ça.

Elle tendit à Thea une fiole de la taille d'un échantillon de parfum.

– Qu'est-ce que c'est ?

– Pour la fête. Tu sais, pour y mettre le sang des garçons.

5

— Quoi ? Blaise, tu dérailles ?

– Ne me dis pas que tu ne veux pas jeter de sorts ! Ça en fait partie, tu sais.

– Et alors ? Jamais on ne pourra leur prendre assez de sang pour remplir cette fiole sans qu'ils s'en aperçoivent ! Qu'est-ce qu'on va leur dire ? « C'est juste pour un petit souvenir » ?

– Réfléchis un peu, roucoula Vivienne en enroulant une mèche rousse autour de ses doigts.

– À la limite, on pourrait toujours utiliser la coupe de Léthé, ajouta paisiblement Blaise. À ce moment-là, on pourra faire ce qu'on voudra, ils ne s'en souviendront jamais.

Thea faillit en tomber à la renverse. C'était comme si sa cousine lui conseillait d'utiliser une bombe nucléaire pour écraser une mouche.

– Tu disjonctes ! conclut-elle. D'abord, tu sais que les filles n'ont pas le droit d'utiliser ce sort et qu'on ne pourra sans doute pas l'utiliser davantage quand on sera mères, pas plus que quand on sera vieilles. C'est juste pour les anciens.

Elle fixait sa cousine avec une telle intensité que celle-ci finit par baisser ses yeux gris.

– Pour moi, marmonna Blaise sans la regarder, il n'existe aucun sort interdit.

En quittant la contre-allée, Thea s'aperçut que Dani avait pris une fiole avec elle.

– Tu vas à la fête ?

– Oui, pourquoi ? Je suis invitée depuis quinze jours par John Finkelstein, du cours de littérature. Je n'y suis encore jamais allée, ce sera la première fois.

– Et... et tu comptes lui jeter un sort ?

Dani tourna la fiole entre ses doigts.

– Quoi ? Ça ? Je n'en sais rien. Je l'emporte au cas où... Et toi, alors ? Tu en as bien pris une pour Eric.

Thea hésita. Elle ne lui avait pas encore parlé d'Eric. Quelque part, elle en avait envie, mais ça lui faisait un peu peur. D'ailleurs, qu'est-ce que Dani pensait des étrangers ?

– Après tout, reprit celle-ci d'un ton paisible, ce ne sont que des humains.

Le samedi soir, Thea choisit une robe d'un vert tellement clair qu'elle en paraissait presque blanche, un modèle qui rappelait les tuniques de la Grèce antique. Une tenue de sorcière se devait d'être non seulement confortable, mais aussi jolie, ce qui était le cas de ce tissu si léger, si doux, qui tournoyait si bien en suivant chacun de ses mouvements.

Quant à Blaise, elle avait opté pour un smoking noir orné d'une cravate et d'une large ceinture de soie rouges qui lui donnaient une allure époustouflante.

Ce sera sans doute la première fois que la reine du bal portera des boutons de manchettes, songea Thea.

À l'heure dite, Eric frappait à la porte de la boutique, la seule connue des étrangers. Les créatures de la nuit, quant à elles, faisaient le tour pour emprunter une entrée invisible marquée d'une espèce de graffiti : un dahlia noir tracé à la bombe aérosol.

En lui ouvrant, Thea retenait son souffle.

C'est juste du boulot, du boulot, du boulot...

Cependant, elle ne se sentit pas aussi gênée qu'elle ne l'avait redouté. Tout sourire, il lui tendit un petit bouquet d'orchidées blanches, qu'elle saisit gracieusement.

– Tu es très élégant, observa-t-elle.

Il portait un costume beige, large et confortable.

– Moi ? s'exclama-t-il. Non, c'est toi qui es magnifique. Cette couleur, ça te donne des cheveux d'or. Excuse-moi pour ma tenue, tu vois, je n'ai pas l'habitude des bals...

– Ah bon ?

Pourtant, elle avait entendu dire que tout le monde l'aimait au lycée, que toutes les filles voulaient se rapprocher de lui.

– Non. J'ai tellement de trucs à faire... Tu sais, le travail, le sport. Et puis je ne sais pas quoi dire aux filles.

Ça n'a pas l'air de te poser de problème avec moi. Elle vit qu'il regardait autour de lui.

– C'est le magasin de ma grand-mère. Elle vend des tas de choses du monde entier.

L'heure était grave. Si lui, humain, croyait en ces choses, soit il était débile, soit il se rapprochait dangereusement de la vérité.

– C'est cool ! commenta-t-il d'un ton peu convaincu.

Visiblement, il essayait de ne pas écarquiller les yeux devant les poupées vaudoues et les boules de cristal.

– Je crois, conclut-il, que l'état d'esprit peut vraiment avoir une influence sur le corps.

Tu ne sais pas à quel point tu as raison.

Dans un claquement de hauts talons, Blaise descendit l'escalier ; on vit d'abord ses chaussures, puis le pantalon droit, puis les courbes de ses hanches et de sa taille, soulignées par la ceinture de soie rouge. Enfin apparurent les épaules et la tête, ses cheveux savamment remontés autour du visage, dans une tempête de boucles brunes.

Thea observait Eric du coin de l'œil.

Il souriait à sa cousine, mais pas de cet air béat que prenaient habituellement les autres garçons.

– Salut, Blaise ! lança-t-il. Tu vas à la fête ? Tu veux qu'on te dépose ?

Elle s'arrêta net, le fusillant du regard.

– Merci, mais je ne suis pas toute seule, figure-toi. Je vais justement le chercher.

En se dirigeant vers la porte, elle s'arrêta devant Thea :

– Et toi ? Tu as tout ce qu'il te faut pour la soirée ?

Thea avait glissé la fiole dans sa pochette verte, à tout hasard, car elle ne voyait vraiment pas comment elle allait pouvoir la remplir. Néanmoins, elle hocha la tête.

– Bien, conclut Blaise.

Là-dessus, elle sortit et se dirigea vers une Porsche gris métallisé garée devant la maison. La voiture de Kevin. Pourtant, ce n'était pas lui qu'elle allait chercher.

– J'ai l'impression qu'elle n'a pas apprécié, souffla Eric.

– T'inquiète, elle s'en remettra. On y va ?

Boulot, boulot, boulot, se répétait Thea en entrant dans la cafétéria du lycée. Complètement métamorphosés en l'espace d'une journée, les lieux étaient méconnaissables, resplendissants de lumière, retentissants de musique ; les tourbillons de couleurs sur la piste de danse donnaient une folle envie de danser.

Je ne suis pas là pour m'amuser, se répéta Thea. Pourtant, son sang bouillonnait. Eric lui lança un regard complice et elle eut alors l'impression de ressentir exactement la même chose que lui, comme s'ils n'étaient que deux enfants qui se tenaient main dans la main, à la lisière d'une fête incroyable.

– Euh... commença-t-il, j'aurais dû te le dire, mais je ne sais pas vraiment danser, sauf les slows.

Génial ! Mais n'était-elle pas là pour ça ? Montrer à Blaise qu'Eric et elle...

Justement, un slow commençait. Fermant les yeux, elle se soumit à cette fatalité qui ne se révéla finalement pas si terrible que cela dès qu'Eric l'eut entraînée sur la piste.

Terpsichore, muse de la danse, aide-moi à ne pas me ridiculiser. Jamais elle ne s'était tenue si proche d'un humain, jamais elle n'avait dansé sur une musique humaine. Cependant, Eric ne semblait pas remarquer son manque d'expérience.

– Je n'y crois pas ! lui souffla-t-il.

Il la tenait légèrement enlacée, comme s'il avait peur de la casser s'il la serrait trop fort.

– Qu'est-ce que tu ne crois pas ?

– Euh… tout ça, quoi ! Que je sois ici avec toi. Que tu sentes toujours si bon…

Elle ne put s'empêcher de rire.

– Pourtant, je n'ai pas utilisé les racines de Iemanja…

Elle faillit se mordre la langue et un flot d'adrénaline la traversa.

Elle perdait la tête, ou quoi ? Voilà qu'elle révélait les éléments d'un sort à son destinataire ! Tout paraissait si facile avec lui ! Elle avait trop vite tendance à oublier qu'il n'était pas un sorcier.

– Ça va ? interrogea-t-il, inquiet de l'avoir vue ainsi s'interrompre.

Non, ça ne va pas du tout. Blaise d'un côté, les lois du Night World de l'autre, et moi à me débattre entre les deux, alors que je ne sais même pas si tu en vaux la peine…

– Je peux te poser une question ? demanda-t-elle brusquement. Pourquoi tu m'as balancé ce coup de pied devant le serpent ?

– Pardon ? Tu n'avais pas vu son attitude ? Il allait te mordre.

– Mais toi aussi.

Toi aussi.

Il parut frappé par l'imparable logique de cette réponse.

– Oui, mais ça me paraissait moins grave pour moi. Même si ça semble idiot de dire ça maintenant.

Thea ne sut que répondre ni que faire ; si elle suivait les élans de son corps, elle poserait sa tête sur l'épaule d'Eric, alors que son esprit lui hurlait de s'en abstenir.

Elle fut interrompue dans ses pensées par des cris qui retentissaient au bord de la piste :

– Lâche-moi ! disait un garçon en veste bleue. Elle m'a souri, j'y vais.

– C'est à moi qu'elle souriait, abruti ! rétorqua l'autre en veste grise. Alors, casse-toi !

Exclamations.

– Pas à toi, à moi, dégage !

Nouvelles exclamations.

– Tire-toi de là !

La bagarre menaçait. Les surveillants se précipitèrent.

Tout ça à cause de qui ? se demanda Thea. Elle n'eut aucun mal à repérer Blaise et son smoking à ceinture rouge, entourée d'une troupe de garçons, non loin d'un cercle de filles laissées pour compte.

– Si on allait la voir ? proposa Thea, qui voulait prévenir l'émeute.

– D'accord. Elle a du succès, on dirait.

Ils se frayèrent un chemin parmi la foule houleuse. Blaise était dans son élément, rayonnante au milieu de cette pagaille d'adulation et de colère.

– Je t'ai attendue une heure et demie, mais tu n'es pas venue, lançait un Kevin plutôt blême.

Il portait une chemise de soie d'un blanc immaculé, sur un pantalon noir magnifiquement coupé.

– Tu as dû me donner une fausse adresse, rétorqua Blaise. Je n'ai pas trouvé ta maison.

Elle se tenait bras dessus, bras dessous avec un immense garçon blond aux cheveux sur les épaules, qui devait faire ses cinq heures de musculation quotidienne.

– Bon, reprit-elle, tu veux danser ?

Kevin jeta un coup d'œil en direction du garçon blond ; celui-ci demeura impassible, son menton à fossette pointé vers l'avant.

– Ne t'occupe pas de Sergio, reprit Blaise. Il me tenait juste compagnie. Alors, tu veux danser, oui ou non ?

Kevin paraissait anéanti.

– Oui... bien sûr.

Comme sa cousine se détachait de Sergio, Thea se pencha vers elle :

– Ne te fais pas trop remarquer ! lui conseilla-t-elle. Ils ont déjà failli se battre.

Blaise lui répondit d'un regard amusé et entraîna Kevin par la main ; tous les garçons les suivirent, et c'est alors que Thea aperçut Dani assise à une petite table. Magnifique dans sa robe dorée, mais toute seule.

– Viens, proposa Eric, on va s'asseoir.

Pleine de reconnaissance, Thea prit place face à son amie.

– Où est John ? demanda-t-elle.

D'un mouvement de la tête, Dani désigna la troupe qui suivait Blaise :

– Mais ça m'est égal, ajouta-t-elle en buvant un peu de punch. Il est plutôt casse-pieds, et je ne connais pas bien toutes ces danses.

Celles-ci n'avaient effectivement rien à voir avec les rondes du Cercle où tous les participants se mêlaient en harmonie les uns avec les autres, sans avoir besoin de former de couples. On faisait corps avec les éléments et avec tout le monde.

Eric proposa d'aller chercher d'autres verres de punch.

– Comment ça se passe avec lui ? souffla Dani en le suivant des yeux.

– Très bien, pour le moment. Tiens... Viv et Selene sont en train de danser ?

– Oui. Je crois que Vivienne a déjà obtenu son sang. Elle a piqué Tyrone avec sa broche.

– Malin ! commenta Thea.

Vivienne portait une robe noire qui soulignait sa chevelure flamboyante, et Selene était en mauve foncé, ce qui contrastait avec sa blondeur. Toutes deux semblaient bien s'amuser.

Dani bâilla.

– Je ne vais peut-être pas tarder à rentrer...

Elle fut interrompue par le remue-ménage qui montait de l'autre côté de la salle, face à l'entrée. Thea crut tout d'abord qu'il ne s'agissait que d'une nouvelle prise de bec au sujet de Blaise, jusqu'à ce qu'une silhouette vienne se planter au milieu de la piste.

– Je veux savoir ! cria une voix furieuse par-dessus la musique. Tout savoir !

L'orchestre s'arrêta. Les gens levèrent la tête, alertés par cette intonation d'ivrogne ou de fou.

Thea se leva.

– Je veux savoir ! répétait l'intrus.

Il se retourna et, glacée d'effroi, Thea vit qu'il portait un masque de Halloween.

Un masque de gosse en plastique. Qui n'avait rien à faire dans ce genre de soirée.

Ô Ilythie !

– Tu vas me le dire ? cria encore l'homme à une fille en robe de satin noir.

Elle recula vers son cavalier.

M. Atkins, le professeur de physique, arrivait au petit trot, sa cravate voletant devant sa chemise. Quant aux surveillants, ils s'occupaient plutôt de contrôler les soupirants de Blaise.

– Qu'est-ce qui se passe ici ? demanda M. Atkins en faisant de grands gestes. Du calme, allons, du calme !

Le type au masque sortit quelque chose de sa veste, provoquant un éclat de lumière sous les projecteurs multicolores de la piste.

– Un rasoir à main ! souffla Dani. Reine Isis ! Où est-ce qu'il a trouvé ça ?

Sans doute parce qu'elle était si vieille, si démodée, cette arme faisait encore plus peur qu'un couteau. M. Atkins recula les bras écartés, comme pour protéger les élèves derrière lui, les yeux écarquillés par la peur.

Il faut que j'arrête ça, se dit Thea. Seulement, elle ne savait pas comment s'y prendre. Si elle avait eu affaire à un animal, elle aurait pu tenter de prendre le contrôle de son esprit ; mais ce n'était pas possible avec une personne.

Elle s'avança lentement, en faisant son possible pour ne pas attirer l'attention sur elle, jusqu'à se trouver devant la foule, juste en face de l'homme masqué.

Ce dernier posait maintenant une autre question :

– Et elle, vous l'avez vue ?

Face à lui, la foule reculait. Vivienne et Selene se retrouvèrent sur les côtés, auprès de leurs cavaliers. Le rasoir scintilla.

Thea jeta un coup d'œil à l'autre bout de la piste, où se tenaient Blaise et Kevin Imamura.

Sans Buck ni Duane pour la protéger, elle ne semblait pourtant pas avoir peur. Elle se tenait là, une main sur la hanche, semblant parfaitement savoir à qui elle avait affaire.

Tout en se faufilant entre deux couples, Thea repéra un autre tableau : Eric qui revenait, une tasse de punch dans une main, deux dans l'autre, et suivait lui aussi les mouvements de l'homme masqué.

Elle tenta de capter son regard, mais il y avait trop de gens entre eux.

– Et elle, vous l'avez vue ? répétait l'autre à un couple. Je veux savoir…

Les deux intéressés se séparèrent d'un coup, découvrant Blaise derrière eux, élégante et altière dans son smoking, la chevelure brillant d'un sombre éclat dans les lumières de la piste.

– Je suis là, Randy ! lança-t-elle. Si c'est ce que tu voulais savoir…

Randy Marik s'arrêta, le souffle court, au milieu d'un silence impressionnant.

Thea se rapprocha encore et, en face d'elle, Eric finit par l'apercevoir. Secouant la tête, il articula : « Ne t'approche pas. »

Ouais. Et tu vas lui sauter dessus, armé de trois tasses de punch. À son tour, elle formula : « Toi, ne bouge pas ! »

La main tremblante de Randy lança un nouvel éclat aveuglant. Il semblait respirer avec difficulté.

– Qu'est-ce qu'il y a ? insista Blaise.

Elle martelait ses mots de coups de talon aiguille impatientés sur le parquet.

– Je suis mal, geignit celui-ci.

D'un seul coup, on aurait dit que sa tête n'était plus bien accrochée à son cou.

– Tu me manques.

Thea en eut la chair de poule. Elle avait l'impression d'entendre un enfant de quatre ans dans la peau d'un garçon de dix-huit ans.

– Je pleure tout le temps, continuait-il.

De la main gauche, il ôta son masque. Kevin recula. Thea frémit d'effroi.

Il pleurait du sang. Des larmes écarlates lui coulaient le long des joues.

Un sort ? se demanda Thea. *Mais non, il s'est fait lui-même ces coupures.*

C'était cela, il s'était fait deux incisions verticales sous ses yeux, d'où giclaient les traînées de sang.

Le reste de son visage n'en était pas moins effrayant. Blanc comme un linge, il avait la mâchoire tremblante, les yeux révulsés, les cheveux hirsutes complètement décolorés, comme rincés à l'eau de Javel.

– Et tu arrives du New Hampshire pour me dire ça ? railla Blaise en levant les yeux au ciel.

Randy laissa échapper un sanglot.

Ce qui eut pour effet de galvaniser Kevin.

– Ho, mec ! Je ne sais pas qui tu es, mais je te conseille de t'éloigner d'elle. Tu ferais mieux de rentrer chez toi pour dessoûler un peu.

Erreur. Randy posa sur lui son regard écarquillé :

– Tu es qui, toi ? lâcha-t-il d'une voix épaisse. Hein ? Tu... es... qui ?

– Kevin, ne reste pas là ! lança Thea d'un ton alarmé.

Trop tard. La main armée du rasoir jaillit d'un seul coup, et un flot de sang jaillit du visage de Kevin.

vers lui. Ce fut complètement instinctif, et elle m'avait
de peur à l'idée qu'il puisse tuer Kevin, et peu

6

Kevin poussa un hurlement et porta la main à sa joue.

– Hé ! Il m'a tailladé...

Randy brandit de nouveau son rasoir.

Thea le rejoignit mentalement, ou plutôt bondit vers lui. Ce fut complètement instinctif, et elle mourait de peur à l'idée qu'il puisse tuer Kevin, et peut-être même Blaise.

Elle capta quelque chose... Un chagrin, une fureur qui semblait sauter de toutes parts, tel un babouin en cage. Cela ne dura qu'un bref instant, mais assez pour laisser à Eric le temps de lancer deux tasses de punch à la figure de Randy. Celui-ci poussa un cri en se détournant de Kevin. Vers Eric.

Une onde de terreur la traversa. Randy frappa de nouveau, mais son adversaire fut plus rapide : d'un bond en arrière, il lui échappa. Tournoyant, Randy fit encore une tentative et tous deux effectuèrent ainsi une danse macabre virevoltante.

Chacun de leurs mouvements effrayait davantage Thea. Eric parvint cependant à éviter la lame, jusqu'au moment où un mouvement sur la piste attira son regard. M. Atkins et deux autres professeurs se précipitaient sur Randy. Après une lutte assez compliquée, celui-ci se retrouva à terre.

Des hurlements de sirène se rapprochèrent. Eric s'écarta de la mêlée.

Le souffle court, il jeta un coup d'œil à Thea. Elle hocha la tête pour indiquer qu'elle allait bien, puis ferma les paupières.

Elle se sentait lasse, anéantie. Ils allaient emmener Randy et elle ne voyait pas quoi faire pour lui. Il était allé trop loin.

À cet instant, elle eut honte d'être sorcière.

– Très bien, s'exclama M. Atkins, maintenant, tout le monde s'en va ! Personne ne doit rester ici.

Il toucha l'épaule de Blaise, penchée sur Kevin et qui lui appuyait une serviette contre la joue.

– Sauf vous deux. Ça va ?

Elle leva sur lui un regard gris plein de détresse.

– Je crois, dit-elle d'un ton empreint de courage.

M. Atkins déglutit et murmura :

– Pauvre petit.

N'importe quoi ! songea Thea. Cependant, quelque part, elle ressentait un soulagement égoïste à l'idée que

Blaise n'aurait pour une fois pas d'ennuis, qu'aucune des deux cousines ne risquait de se faire renvoyer. Que mamie ne se verrait pas admonester par le Cercle vital.

D'autant que Blaise avait vraiment l'air de s'inquiéter pour Kevin.

– Et toi ? lui souffla Thea au passage. Ça va ?

Blaise lui opposa une expression énigmatique, et c'est alors que Thea repéra la fiole qu'elle cachait sous le mouchoir. Pleine de sang.

– Tu…

Elle ne put en dire davantage.

Et Blaise de lui répondre d'une légère grimace, qui sous-entendait : *Je sais, mais l'occasion était trop belle.*

En reculant, Thea heurta Eric qui la retint par le bras :

– Elle va bien ?

– Très bien. Je ne veux pas rester ici.

L'œil sombre, les cheveux en bataille, les vêtements froissés, il se contenta de répondre :

– On y va.

En passant devant Vivienne et Selene, Thea s'aperçut qu'elles avaient toutes deux l'air choqué, tourmenté. Mais combien de temps cela allait-il durer ?

Elle croisa Dani sur le parking, en compagnie de John Finkelstein.

– Je rentre, lança-t-elle à Thea en jetant un objet dans un buisson.

Une fiole vide.

Saisie d'une sorte de reconnaissance, Thea lui prit la main :

– Merci.

Dani désigna la cafétéria :

– Je me demande ce qu'il voulait tant savoir, murmura-t-elle.

Comme pour répondre à sa question retentit un hurlement qui n'avait rien d'humain :

– Pourquoiii… ?

Thea courut se réfugier dans la Jeep d'Eric.

Tout en conduisant à travers les rues obscures, celui-ci lui demanda :

– Je suppose que c'était un ex-petit copain ?

– Ça remonte au mois dernier.

– Il avait l'air complètement cassé, le pauvre.

Comme tu dis, songea-t-elle. *Cassé à jamais, le malheureux.*

– C'est Blaise, expliqua-t-elle.

Elle n'avait pas eu l'intention de lui en parler, mais les mots lui brûlaient la gorge, il fallait que ça sorte :

– Ça l'amuse de récolter des mecs à droite et à gauche, et je ne peux pas l'en empêcher. Ils tombent raides dingues et là, elle les laisse tomber.

– À ce point-là ?

Thea lui jeta un regard étonné. Il regardait droit devant lui, ses longs doigts souples bien fixés sur le volant.

Bon. Et moi qui te prenais pour un naïf. Tu en comprends peut-être davantage que je n'aurais cru.

– Enfin, tu vois ce que je veux dire. C'est comme... tu sais, dans la Grèce antique, le culte d'Aphrodite, la déesse de l'Amour. Elle n'avait aucune pitié. Tu sais, c'est elle qui pousse Phèdre à s'éprendre de son beau-fils, et à la fin tout le monde en meurt. Mais ça fait rire la déesse. Elle se comporte exactement comme une tornade qui dévaste les maisons ou un feu qui ravage une forêt.

Elle s'arrêta, le souffle court, les poumons douloureux. Pourtant, elle se sentait mieux, elle venait de se décharger d'un grand poids.

– Et tu crois que Blaise est comme ça ?

– Oui. Elle ne peut pas s'en empêcher, comme une force de la nature. Ça n'a pas l'air trop idiot, au moins, de dire ça ?

– Pas du tout. La nature est cruelle. Les lapins se font dévorer par les rapaces. Les lions tuent leurs petits. C'est la loi de la jungle.

– Ce n'est pas une excuse. On peut sans doute dire ça pour la déesse et pour les animaux, mais en ce qui concerne les humains...

Il lui fallut un certain temps avant de prendre conscience de ce qu'elle disait. Elle utilisait le terme « humains » au lieu de « gens ».

– Tu sais, les humains font partie du règne animal, observa Eric.

Elle s'adossa à son siège, encore mal à l'aise. Mais elle avait surtout peur de cette envie irrépressible de tout lui raconter. Il semblait si bien comprendre... mieux que n'importe qui d'autre. Et pas seulement comprendre, mais aussi se faire du souci.

– Je sais ce qu'il te faut ! lança-t-il soudain. J'allais te proposer de nous arrêter pour manger un morceau chez Harrah's, mais j'ai une meilleure idée.

La pendule de bord indiquait presque vingt-trois heures.

– Laquelle ? demanda Thea.

– La thérapie du chiot.

– Pardon ?

Le sourire aux lèvres, il changea de direction et finit par se garer devant une modeste bâtisse grise, sur laquelle un panneau indiquait « CLINIQUE VÉTÉRINAIRE DE SUN CITY ».

– C'est là que tu travailles ?

– Oui. On va pouvoir libérer Pilar plus tôt.

Il descendit de voiture et ouvrit la porte d'entrée.

– Viens !

Une jolie fille aux cheveux bruns mi-longs leva la tête du bureau d'accueil. Et Thea reconnut Pilar Osorio, une élève du lycée, une fille tranquille et qui travaillait bien.

– C'était sympa, la fête ? demanda-t-elle.

Thea eut l'impression qu'elle fixait Eric avec un rien d'insistance...

– Complètement nulle, maugréa celui-ci. Ils ont commencé à se bagarrer, alors on est partis.

Thea nota qu'il n'avait pas mentionné son intervention dans la bagarre.

– C'est terrible ! commenta sincèrement Pilar.

Quoique Thea aurait juré qu'elle n'en était pas si navrée que ça...

– Tant pis. Et notre bonhomme, il va bien ?

– Oui. Un peu agité. Tu devrais l'emmener se promener.

Pilar prit sa veste, adressa un salut de la tête poli à Thea, puis se dirigea vers la porte.

– À lundi.

Elle le trouve à son goût.

Quand ils se retrouvèrent seuls, Thea regarda autour d'elle la réception calme, le comptoir d'accueil.

– En fait, la clinique est fermée ?

– Oui, mais il faut quand même que quelqu'un reste la nuit pour veiller sur les animaux en pension.

Avec un sourire complice, il ajouta :

– Tiens, suis-moi.

Il lui fit traverser une salle d'examen, puis un couloir qui menait à un chenil. Thea ouvrait grands les yeux. C'était la première fois qu'elle entrait dans une clinique vétérinaire.

Au bout d'une rangée de niches monta un jappement. Eric lui jeta un regard malicieux :

– Trois, deux, un…

Il ouvrit la cage. Un bébé labrador, d'une taille déjà imposante, surgit en agitant frénétiquement la queue. La belle couleur dorée sur son dos allait en s'éclaircissant jusqu'au blanc de ses pattes.

– Salut, Bud ! lança Eric. Tu as été sage ?

D'un ton solennel, il précisa à l'adresse de Thea :

– C'est le chien le plus câlin que je connaisse.

Thea s'accroupit en ouvrant les bras.

– Euh… ta robe… objecta Eric.

Mais le chiot avait déjà bondi. Ses pattes atterrirent sur les épaules de Thea, son mufle, dans son oreille.

– Je vais tomber amoureuse ! souffla-t-elle, submergée par cette joyeuse tendresse.

Inutile d'essayer de pénétrer dans l'esprit de l'animal, il avait d'ores et déjà investi celui de Thea. Il n'avait que des pensées positives et axées sur le moment présent : tout sentait délicieusement bon, et c'était super de se faire gratter derrière l'oreille, juste là où une puce l'avait piqué.

Bonnes sensations... agréables... je l'aime bien, ce grand chien chauve... De nous deux, qui est le dominant ?

Le chiot la mordilla et elle lui rendit la pareille.

– C'est moi le dominant ! l'informa-t-elle en le tenant par les joues.

Cependant, quelque chose l'intriguait. Elle voyait le monde à travers sa vue, et il n'y avait rien à droite. Juste du vide.

– Il a un problème aux yeux ?

– Tu as remarqué sa cataracte ? Il n'y a pas beaucoup de gens qui s'en aperçoivent d'emblée. Oui, il est borgne de l'œil droit. Quand il sera plus vieux, on pourra l'opérer.

Eric s'adossa au mur, tout sourire :

– Dis-moi, tu as le truc avec les animaux, toi. Tu n'en as pas, chez toi ?

Il avait posé cette question d'un ton gentil, sans y mettre la moindre indiscrétion.

– En fait, répondit-elle machinalement, je n'abrite que ceux que je soigne. Quand ils sont guéris, je les remets dans la nature ou je leur trouve un foyer s'ils le désirent.

– Tu les soignes ?

Là encore, il avait parlé doucement, et pourtant Thea éprouva un léger choc. Comment se faisait-il qu'elle ne puisse pas tenir sa langue face à ce type ?

Elle poussa un soupir, puis :

– Je les nourris, je les emmène chez le véto si nécessaire. Et puis j'attends qu'ils guérissent.

Même s'il hocha la tête, il ne paraissait pas convaincu.

– Tu n'as jamais songé à devenir toi-même vétérinaire ?

Thea dut détourner les yeux, et se donna une contenance en embrassant Bud.

– Euh, non, pas vraiment, murmura-t-elle dans la fourrure blonde.

– Pourtant, tu as un don. Tiens, j'ai les programmes de l'université de Davis. C'est une des meilleures du pays. On n'y entre pas facilement, mais tu pourrais très bien t'y présenter, j'en suis sûr.

– Pas moi.

Son dossier scolaire présentait quelques irrégularités, dont quatre renvois… Mais ce n'était pas là le plus grave. Non, avant tout, les sorcières ne devenaient pas vétérinaires, ça n'était pas dans leur culture.

Elle pouvait se spécialiser dans les herbes médicinales, dans l'étude des pierres précieuses ou dans les costumes rituels ; dans les chants, dans les runes ou dans les amulettes… dans des centaines de choses, mais dans aucune des matières enseignées à Davis.

– C'est difficile à expliquer.

Elle n'était pas du genre à se laisser surprendre, sinon elle aurait été étonnée de voir qu'elle éprouvait le besoin de s'expliquer auprès d'un humain.

– C'est juste que… ma famille n'approuverait pas. Ils veulent que je fasse autre chose.

Eric ouvrit la bouche, la referma.

Le chiot éternua.

– Bon, mais tu pourrais peut-être m'aider à présenter mon dossier, finit-il par dire. Je n'y arrive pas avec le questionnaire.

Faux jeton !

– On verra, répondit-elle évasivement.

À cet instant, un Interphone grésilla, faisant aboyer Bud.

– Qui peut sonner à cette heure ? s'étonna Eric.

Il se leva et Thea le suivit vers la réception, une main sur la tête du chiot pour le calmer.

En ouvrant la porte d'entrée, Eric recula sous l'effet de la surprise :

– Roz… qu'est-ce que tu fais là ? Maman sait que tu es sortie ?

Une sorte de tourbillon miniature fit irruption dans la salle d'attente, une petite fille aux mèches blondes qui s'échappaient d'une casquette de base-ball. Elle portait une couverture bleue roulée sous le bras.

– Maman a dit, gronda-t-elle l'air furieux, que Madame Curie n'était pas vraiment malade, mais elle a tort. Appelle le Dr Joan.

Là-dessus, elle jeta la couverture sur le comptoir en écartant du bras un carnet et des cartons de vaccins.

– Hé, arrête ! s'exclama Eric.

Puis, se tournant vers Thea :

– Euh... c'est ma sœur, Rosamund. Et je ne sais pas comment elle est arrivée jusqu'ici...

– J'ai pris mon vélo. Et maintenant, je veux que tu guérisses Madame Curie immédiatement !

Dressé sur ses pattes, Bud reniflait la couverture ; Thea le repoussa doucement :

– Qui est cette Madame Curie ?

– Un cochon d'Inde. Écoute, Roz, le Dr Joan est parti à une conférence.

La fillette conservait son air buté, mais son menton se mit à trembler.

– Bon, reprit son frère, je vais l'examiner, voir si je trouve quelque chose. Mais il faut d'abord appeler maman pour lui dire que tu es ici, et bien vivante.

Il décrocha le téléphone.

– J'éloigne Bud, annonça Thea. Il va bientôt prendre Madame Curie pour son dîner.

Elle ramena le chiot dans le couloir, où elle le fit courir, et le pria de l'attendre, promettant de revenir lui faire d'autres câlins.

En revenant à la réception, elle trouva Eric penché sur une petite boule de poils marron et blanc, l'air perplexe.

– On dirait bien que quelque chose ne va pas, mais je n'arrive pas à déterminer quoi. Elle a l'air affaiblie, un peu endormie…

Brusquement, il ôta sa main en poussant un cri de douleur, montra son pouce où perlait une goutte de sang.

– Enfin, pas trop endormie !

Il s'essuya avec une serviette en papier avant de se remettre à examiner l'animal.

– Elle est de mauvais poil, indiqua Rosamund. Et elle mange presque plus. Je t'ai déjà dit hier qu'elle allait mal.

– Pas du tout. Tu m'as dit qu'elle en avait assez de vivre dans une société patriarcale.

– Oui, sauf qu'elle est fatiguée. Et malade. Fais quelque chose.

– Désolé, mais je ne suis pas vétérinaire. Attends !

Reprenant son examen, il se mit à marmonner, comme pour lui-même :

– Elle ne tousse pas... ce n'est donc pas une angine. Ses ganglions ont l'air bien... mais elle a les articulations gonflées. Alors ça, c'est bizarre !

Rosamund ne le quittait pas de ses yeux verts et confiants, les mêmes que ceux d'Eric.

Thea posa doucement la main sur le cochon d'Inde, caressa la fourrure tiède, tout en cherchant à atteindre son esprit sans le brusquer.

Pensées de petite bête apeurée. Elle n'aimait pas cet endroit, elle voulait retrouver la sciure de sa cage, sa sécurité. Elle n'aimait pas les odeurs de la clinique, ces doigts étranges qui descendaient du ciel.

La maison, le nid. Et puis il y eut cette impression bizarre, davantage une odeur, un goût qu'une image. Madame Curie se voyait en train de manger quelque chose... quelque chose de croquant, d'un peu fort. Manger, manger, manger.

– Quel est son aliment préféré ? s'enquit Thea. Du chou ou quelque chose comme ça, non ?

Eric se figea, comme s'il venait de recevoir une décharge électrique.

– Mais c'est ça ! Tu es géniale !

– Quoi, ça ?

– Ce que tu as dit. Elle a le scorbut.

Il courut vers la salle d'examen, revint armé d'un livre épais écrit en petits caractères.

– Là, c'est ça. Anorexie, léthargie, articulations hypertrophiées… elle présente tous les symptômes.

Il tourna fiévreusement quelques pages, puis annonça d'un ton triomphal :

– Il suffit de lui donner un peu de légumes, ou juste d'ajouter de l'acide ascorbique dans son eau.

Le scorbut… n'était-ce pas la maladie des marins ? Quand ils faisaient de longs voyages sans fruits ni légumes ? Et l'acide ascorbique était donc…

– De la vitamine C ?

– Oui, il a fait chaud, et chez nous l'eau du robinet est plutôt dure, de quoi priver effectivement Madame Curie de vitamine C. Mais c'est facile à régler.

Il posa un regard appuyé sur Thea :

– Ça fait des années que j'étudie les animaux, que je travaille ici, et toi, il te suffit d'un coup d'œil pour savoir. Comment fais-tu ?

– Elle a demandé à Madame Curie, énonça Rosamund sans s'émouvoir.

Décidément, ils étaient observateurs, dans cette famille ! Thea partit d'un rire un peu forcé.

– Ha, ha !

– Tu es sympa, reprit la petite sœur d'Eric. Tu ne saurais pas où on trouverait du chou, par hasard ?

– Va voir dans le frigo de la réserve, indiqua Eric. S'il n'y en a pas, on lui donnera quelques gouttes de vitamine.

La gamine s'en alla au petit trot sous le regard attendri de son frère.

– Elle a oublié d'être bête, observa Thea.

– Dans son genre, c'est un génie. Et la plus jeune militante féministe du monde. Tu sais qu'elle a porté plainte contre les randonneurs du lycée, parce qu'ils n'acceptent pas de filles parmi eux ? Quant aux randonneuses, elles préfèrent le macramé.

– Ah bon ? Et qu'est-ce que tu en dis ?

– Moi ? Je suis prêt à l'emmener voir un avocat quand elle me le demandera. Si ça peut la calmer... d'autant qu'elle a raison.

Ça paraissait aller de soi. En le regardant plier la couverture, elle perçut une voix intérieure lui vanter ses mérites comme s'il venait de gagner un jeu télévisé : *voici un garçon doué de toutes les qualités, tendre mais solide, courageux, profondément perspicace, timide mais doué d'un étonnant sens de l'humour, honnête, aimant les animaux...*

Un humain.

Je m'en fiche.

Elle éprouvait un sentiment bizarre. Comme si elle avait respiré trop de racine de Iemanja ; l'atmosphère, chargée d'électricité tropicale, semblait baignée d'un parfum sucré, puissant et légèrement picotant.

– Eric...

Elle s'aperçut alors qu'elle posait sa main sur la sienne.

Il lâcha aussitôt la couverture, lui prit les doigts. Cependant, il n'osait pas encore la regarder, les yeux toujours fixés sur le comptoir, le souffle coupé.

– Eric ?

– Parfois, j'ai l'impression que si je cligne des yeux, tu vas disparaître.

Ô Ilythie ! Ô Aphrodite ! Dans quel piège me suis-je jetée ?

Un piège aussi terrible que troublant. Elle se sentait à la fois désorientée et en totale sécurité ; tremblant de peur, elle était prête à affronter tous les dangers. C'était si simple ! Si lui aussi éprouvait ces sentiments, tout se passerait bien.

– Je ne peux même pas imaginer la vie sans toi, souffla-t-il. Mais j'ai tellement peur que tu t'en ailles...

D'un seul coup, il tourna vers elle ses prunelles vertes :

– Tu es folle ?

Elle fit non de la tête, le cœur battant à tout rompre. En soutenant son regard, elle eut l'impression qu'un circuit se formait. Ils étaient connectés maintenant, attirés l'un vers l'autre comme si Aphrodite elle-même les serrait entre ses bras.

Et tout paraissait enfin si tiède, si merveilleux ! Jusqu'à ses craintes, qui semblaient exploser en un joyeux feu d'artifice.

La joue contre celle d'Eric, elle n'avait jamais rien ressenti d'aussi fabuleux ; cette peau ferme et douce, cette impression de totale sécurité, cette assurance d'être aimée. Elle aurait voulu que ce moment ne cesse jamais. Une paix bienfaisante l'envahissait, comme une onde fraîche sous le soleil. Ils étaient comme deux oiseaux qui s'abriteraient chacun sous l'aile de l'autre.

Les cygnes gardent leur partenaire pour la vie… et lorsqu'ils le rencontrent, ils le savent. C'est exactement ce qui s'est passé dans le désert. On s'est reconnus ; comme si on voyait nos âmes. Une fois qu'on a vu l'âme de quelqu'un, on lui reste attaché à jamais.

Oui, lui répondit la petite voix, *et ça porte un nom dans le Night World. Le principe de l'âme sœur. Tu veux dire que ta moitié est un humain ?*

Cela ne faisait plus peur à Thea. Elle se sentait à l'abri aussi bien du Night World que du monde des humains. Avec Eric, ils formaient leur propre réalité, et il lui suffisait de rester là, de respirer, de le sentir respirer pour ne plus s'inquiéter de ce que pouvait leur réserver l'avenir…

Une porte grinça, un courant d'air s'engouffra dans la pièce. Thea ouvrit instantanément les yeux. Alors son cœur sursauta, puis se mit à battre la chamade.

Ce n'était pas la porte par laquelle était partie Rosamund, mais celle de l'entrée, qu'Eric n'avait pas refermée à clef. Et Blaise se tenait dans l'encadrement.

7

– Je te cherchais partout ! lança Blaise. Il a fallu que j'appelle Madame Ross pour qu'elle me dise que vous étiez là.

Ses cheveux noirs ébouriffés lui retombaient sur les épaules. Elle avait ôté sa cravate rouge, déboutonné le col de sa chemise. Le visage rosi par l'exaspération, elle posait sur eux un regard brillant de colère, qui la rendait aussi belle que dangereuse.

Eric et Thea venaient de se séparer l'un de l'autre, terriblement mal à l'aise.

– On ne faisait que... bredouilla-t-il.

Il saisit la couverture bleue, entreprit de la plier.

– Si tu veux, reprit-il, je peux te faire visiter.

– Les animaux ne m'intéressent que cuits et bien assaisonnés, rétorqua-t-elle, une main sur la hanche.

Madame est d'excellente humeur !

Les paumes moites, Thea se demandait ce que Blaise pensait de la scène qu'elle venait de surprendre.

Au fond, les sorcières n'étaient-elles pas censées mener la danse ?

Son regard tomba sur le mouchoir taché du sang d'Eric. Discrètement, elle s'en empara, le cacha dans sa paume.

– Toi aussi tu as quitté la fête, dit-elle à Blaise. Où...

Qui avait été le vrai cavalier de sa cousine ce soir, au fait ? Sergio ? Kevin ? Quelqu'un d'autre ?

– Il n'y a plus de fête, rétorqua celle-ci. Ils ont tout fermé. Quand Randy s'y met, il fait les choses en grand.

Soudain, son expression changea et un charmant sourire illumina son visage.

– Qui es-tu, ma chérie ?

Dans le couloir, Rosamund recula, Madame Curie serrée contre son cœur. Elle ne dit pas un mot, mais fixait Blaise d'un regard hostile.

– Oh, pardon ! intervint Eric. C'est ma sœur. Elle est... timide.

– On dirait que c'est de famille.

– On ferait mieux de rentrer, intervint Thea.

Elle avait mille choses à dire à Eric, mais sûrement pas en présence d'une gamine de mauvaise humeur, ni d'une sorcière soupçonneuse.

Tous deux échangèrent un regard intimidé.

– Bon, on se revoit au lycée ?

– D'accord, répondit-il en souriant. Tu sais, je voulais quand même te le dire : si tu as envie d'entrer à l'université de Davis, tu devrais suivre dès maintenant le cours de zoologie du lycée, il est excellent.

– On verra…

Elle sentait de plus en plus le regard de Blaise peser sur elle.

Cependant, dès qu'elles furent sorties, sa cousine se contenta de lancer :

– Pardon de vous avoir dérangés, mais j'avais tellement hâte de te raconter ma soirée pourrie. Enfin… ça fait du bien de jouer les emmerdeuses, quelquefois.

Thea poussa un soupir, puis s'arrêta net :

– Blaise, la voiture !

La Porsche gris métallisé semblait sortir d'un carambolage, le pare-choc avant tordu, la porte du passager enfoncée, le pare-brise craquelé.

– Oui, j'ai eu des petits ennuis, mais ce n'est pas grave. Ce soir, j'ai rencontré un garçon. Il s'appelle Luke Price, il a une Maserati. Et ne me dis pas que tu désapprouves ! Je traite les humains comme je veux !

– Je n'ai pas dit le contraire, c'est juste que je n'ai pas envie de me faire encore renvoyer.

– Ce n'est pas illégal d'avoir un accident. Tu vas devoir passer par la portière du conducteur pour t'asseoir à ta place.

Ce que Thea fit avec souplesse. Tout le long du trajet, elle sentit le regard de sa cousine posé sur elle.

– Alors, lança soudain Blaise d'une voix feutrée. Tu l'as eu ?

– Quoi ?

– Arrête, ce n'est pas drôle !

Thea sortit de sa poche le mouchoir chiffonné qu'elle y avait fourré.

– Je n'ai pas pu remplir la fiole, ça aurait éveillé les soupçons. Alors j'ai improvisé.

Les doigts aux longs ongles écarlates de Blaise se refermèrent aussitôt dessus ; surprise, Thea voulut le lui arracher. Le mouchoir se déchira et elle n'en conserva qu'un coin.

– Hé !

– Quoi ? Je veux juste le mettre à l'abri. Et le reste, ça s'est bien passé ?

– Oui.

Elle parvint à ajouter d'un ton désinvolte :

– Je crois que je l'ai accroché.

– Ah oui ?

La voiture venait de pénétrer sur le Strip, le plus grand boulevard de Las Vegas, théâtre d'une circulation toujours intense. Les néons éclairèrent le demi-sourire curieux de Blaise :

– Qu'est-ce que c'est que cette histoire de Davis ?

– Rien. C'est là qu'il va faire ses études supérieures et il aimerait bien que je l'y suive.

– Il fait déjà des projets d'avenir. Il ne perd pas de temps. Félicitations !

Thea n'aima pas du tout cette dernière remarque. Plus que jamais, elle avait envie de protéger Eric de Blaise, mais ne savait trop comment s'y prendre. Cela dépendait de ce que pouvait imaginer sa cousine.

– En fait, le plus drôle, c'est quand ils craquent, continua Blaise. Les humains sont tellement différents, pourtant ils finissent par tous réagir de la même façon. Et quand ils lâchent prise, ça fait comme un petit craquement. Tu as presque l'impression de l'entendre.

Thea déglutit, les yeux fixés sur l'énorme lion d'or du grand hôtel MGM, aux prunelles vertes, comme celles d'Eric.

– C'est vrai ? Intéressant.

– Plutôt, oui ! Ensuite, ils s'effondrent complètement ; tout ce qu'ils sont, tout leur être se répand dans cette hémorragie interne. Après, évidemment, ils ne servent plus à rien. Comme tous les mâles trop vieux pour s'accoupler. Ils sont... finis !

– Charmant !

– Tu sais, je crois qu'Eric est au bord de craquer. Il est déjà amoureux de toi, ça se voit. Son heure a sonné.

Thea s'était figée sur son siège.

– Blaise... finit pas souffler Thea.

– Quoi ? Ne me dis pas que tu es amoureuse de lui !

La phrase retentit violemment à travers tout l'habitacle.

– Tu me prends pour qui ? finit par répondre Thea d'une toute petite voix.

– Et moi, tu me prends pour une idiote ? Tu lui faisais les mêmes yeux doux qu'à tes chers animaux.

Une vague de désespoir envahit Thea. Ce n'était pas seulement Blaise qui lui faisait peur, mais tout le Night World, dont le règlement énonçait précisément ce qui attendait les sorcières amoureuses d'un humain.

La mort. Non seulement pour elle, mais aussi pour Eric.

Il ne lui restait qu'une réaction possible. Elle se tourna franchement vers sa cousine :

– Écoute, Blaise, tu me connais. On a toujours été comme des sœurs, toutes les deux, et je sais que malgré certaines de tes réactions, tu m'aimes bien...

– Évidemment !

C'était même cela, le problème. Devant les lumières changeantes de l'hôtel Bally, Thea put constater que les yeux de Blaise s'embuaient. Elle avait peur pour Thea... et s'en voulait.

Thea lui prit la main.

– Alors, tu dois m'écouter, Blaise. Quand j'ai rencontré Eric, il s'est passé quelque chose que je ne peux pas expliquer ; en fait j'aurais même du mal à te le décrire. Mais un lien s'est créé. Et je sais que ça va paraître idiot, je sais que ça ne va pas te plaire, mais...

Elle dut s'arrêter pour reprendre son souffle.

– Blaise, et si tu trouvais ton âme sœur et qu'elle fasse partie d'un groupe qu'on t'a toujours interdit d'aimer... ?

Elle s'arrêta de nouveau, cette fois parce que sa cousine ne bougeait pas, ne semblait même plus réagir. Au bout d'un long moment de silence, pourtant, elle balbutia :

– Tu as trouvé... ton... âme sœur ?

À son tour, Thea en eut les larmes aux yeux. Jamais elle ne s'était sentie aussi seule.

– Je crois, murmura-t-elle.

Des éclats mauves scintillaient sur les cheveux de Blaise.

– C'est encore plus grave que je ne le croyais.

– Tu vas m'aider ? sanglota Thea.

D'une main impatientée, sa cousine tapait sur le volant. Elle finit par déclarer :

– Bien sûr, que je vais t'aider. Il le faut, de toute façon. On est comme des sœurs, jamais je ne t'abandonnerai...

Thea en fut tellement soulagée que la tête lui tourna. Paradoxalement, ses sanglots redoublèrent.

– J'ai eu tellement peur ! Depuis le début, je ne sais pas quoi faire...

Blaise la contemplait en souriant et ses prunelles brillaient d'un éclat étrange.

– Je vais t'aider en le piégeant moi-même. Ensuite, je le tuerai pour avoir mis ma sœur en danger.

Sur le moment, tout se paralysa en Thea, puis ce fut l'explosion, le chaos.

– Jamais ! s'écria-t-elle. Tu m'entends ? Jamais !

– Bon, tu n'approuves pas, c'est normal. Mais tu verras, tu finiras par me remercier.

– Non, écoute-moi ! Si tu lui fais quoi que ce soit, si tu le blesses, je vais en souffrir.

– Tu t'en remettras.

Dans l'arc-en-ciel du Riviera, Blaise apparaissait comme l'ancienne déesse de la Destinée.

– Il vaut mieux souffrir un peu maintenant que de te faire exécuter plus tard.

Thea tremblait de fureur. Au point qu'elle commit une erreur. Par la suite, elle se rendit compte que si elle s'en était tenue aux mêmes sujets, Blaise aurait fini par l'écouter. Mais à ce moment, elle était trop exaspérée, trop épouvantée pour mesurer la portée de ses paroles :

– Oui, eh bien ça m'étonnerait ! Et à mon avis, tu ne pourrais pas me le prendre, même si tu essayais.

Blaise en resta un instant bouche bée, mais très vite elle éclata de rire.

– Alors là ! Je peux prendre n'importe quel garçon à n'importe quelle fille ! C'est quand tu veux, où tu veux ! Et personne ne m'en empêchera.

– Pas cette fois. Eric m'aime, tu n'y pourras rien. Tu n'as aucune chance.

Quittant le Strip, Blaise braqua à droite pour reprendre les petites rues sombres.

– Ah oui ? rétorqua-t-elle.

Thea passa une mauvaise nuit. Obsédée par le visage de Randy Marik, elle finit par le voir dans ses rêves se transformer en celui d'Eric, ensanglanté, les orbites vides.

Quand elle s'éveilla, le soleil inondait la pièce.

C'était une chambre à double personnalité, d'un côté bien rangée, décorée de bleu ciel et de vert pomme ; de l'autre en désordre, et n'affichant qu'une couleur primaire, celle qui suscitait émotions, haines et passions. Le rouge.

D'habitude, Blaise y dormait sous sa couverture Ralph Lauren. Mais ce matin-là, elle était déjà partie. Mauvais présage. Il n'existait qu'une raison au monde pour la tirer du lit de si bonne heure.

Inquiète, Thea s'habilla en hâte et descendit.

Elle ne trouva dans la boutique que Tobias, qui s'ennuyait ferme derrière son comptoir. Il répondit d'un grognement au bonjour de Thea, les yeux au plafond, une main dans son épaisse chevelure bouclée. Visiblement, il aurait préféré se trouver ailleurs par ce beau week-end, comme n'importe quel garçon de dix-neuf ans.

Thea se rendit dans l'atelier.

Assise à la table, ses écouteurs sur les oreilles, Blaise chantonnait à voix basse en dessinant.

Elle avait toujours été douée pour créer de jolis bijoux, la plupart du temps en s'inspirant de modèles anciens. Elle élaborait des colliers d'abeilles et de papillons, de fleurs en spirale, de serpents, de dauphins bondissants. C'était vivant, gai... magique.

Et là se manifestait son génie. Elle savait assembler chaque élément avec un goût sans pareil pour assortir matières et couleurs : le rubis exprimait le désir, l'opale noire, l'obsession, la topaze, la tendresse, le grenat, la sensualité ; et l'astérié, ce saphir étoilé, le gris de ses yeux.

Elle les avait étalés devant elle. Mais sa science ne se résumait pas à ces pierres. Elle entrelaçait des plantes avec les chaînes, perçait de minuscules cavités qu'elle pouvait emplir de potions ou de poudres. Elle submergeait littéralement de sorcellerie ses bijoux.

Chaque modèle en soi pouvait constituer un sort. Chaque ligne, chaque courbe, chaque tige pouvait avoir sa signification, attirer l'œil sur un motif aussi puissant que n'importe quel symbole tracé à la craie sur le sol. Il suffisait alors de le regarder pour tomber sous le charme.

À cet instant-là, Blaise travaillait sur un collier destiné à provoquer la mort brutale. Elle sculptait ses modèles à la cire perdue, technique qui lui permettait de faire des moules où la cire, en fondant, laissait place à une coulée d'argent, d'or ou de cuivre. Et l'objet qu'elle façonnait à ce moment était incroyable, à vous couper le souffle… et la vie. Ce chef-d'œuvre allait se révéler aussi puissant que la ceinture magique d'Aphrodite. Aucun être humain mâle ne saurait y jeter un regard sans en subir l'envoûtement.

De plus, elle avait en sa possession le mouchoir taché du sang d'Eric, l'ingrédient vital pour personnaliser son sortilège.

Il ne lui faudrait dès lors que quelques jours pour parachever son œuvre. Et ensuite…

Aux Enfers, Eric n'aurait aucune chance.

Thea ignorait si Blaise avait ou non remarqué sa présence. De toute façon, ça ne changeait rien. Elle regagna sa chambre, éperdue.

Eric était son âme sœur, alors que Blaise représentait Aphrodite en personne. Qui pourrait lui résister ?

Qu'est-ce que je vais faire ?

Elle aussi avait gardé un peu du sang d'Eric. Mais elle ne pourrait jamais rivaliser avec Blaise dans la fabrication de talismans d'amour. D'abord parce que sa cousine avait des années d'avance sur elle ; et ensuite parce qu'elle possédait un talent qui laissait tout le monde loin derrière.

Autrement dit, il faut que je réfléchisse à autre chose. Quelque chose qui la tienne éloignée de lui avant tout. Pour le protéger…

Thea se redressa.

Je ne peux pas, c'est trop dangereux. Les jeunes filles ne peuvent pas faire d'invocations. Même le Cercle vital doit prendre des précautions avec ça.

Pourtant, mamie possède tout le matériel qu'il faut pour. Je le sais. Je l'ai vu dans la boîte.

Rien que d'essayer, ça pourrait me tuer.

Cependant, elle se sentait soudain habitée d'une étrange sérénité. Ces risques lui faisaient moins peur que les éventuelles remontrances de sa grand-mère si celle-ci venait à s'apercevoir de quelque chose. Elle ne craignait pas d'affronter le danger pour Eric. Tant qu'elle ne penserait qu'à cela, elle pourrait bloquer la pensée suivante, celle qui trouvait cette idée non seulement dangereuse mais erronée.

Elle redescendit l'escalier telle une somnambule, calme et détachée.

– Toby, où est mamie ?

C'est à peine s'il leva la tête :

– Elle est allée voir Thierry Descouedres, pour lui parler de son terrain. Je dois passer la chercher ce soir.

Thierry était un vampire, et un seigneur du Night World. Il possédait beaucoup de terres au nord-est de Las Vegas... que pouvait vouloir y faire mamie ?

Mais quelle importance ? L'essentiel était qu'elle ne revienne pas de la journée.

– Tiens, si tu sortais faire un tour ? Je m'occupe de la boutique.

Tobias écarquilla les yeux et son visage rond s'illumina.

– Vrai ? Vous feriez ça ? Alors là, je vous baise la main ! Je vais en profiter pour aller voir Kishi... non, plutôt Zoe... ou bien Sheena...

Comme tous les apprentis, il était très demandeur de jeunes sorcières.

Sans cesser de marmonner, il vérifia le contenu de son portefeuille, attrapa les clefs de sa voiture et fila vers la porte, comme s'il craignait que Thea ne change d'avis à la dernière minute.

– Je serai rentré à temps pour aller la chercher, promis ! cria-t-il en fermant derrière lui.

Aussitôt, Thea retourna la pancarte du côté « FERMÉ », boucla tout et s'agenouilla derrière le comptoir.

C'était dans le tiroir du bas, un coffre en métal qui paraissait avoir au moins cinq cents ans. Elle dut faire un effort pour le soulever, il pesait des tonnes. Les dents serrées, les yeux fixés sur le rideau de perles qui séparait la boutique de l'atelier, elle remonta l'escalier.

Il lui fallut deux autres voyages pour rassembler tout le matériel dont elle avait besoin. Le rideau de perles frémit à peine.

Finalement, elle pénétra dans la chambre de sa grand-mère, s'empara du lourd anneau de clefs accroché au mur, puis retourna dans sa chambre, ferma la porte et en boucha le bas avec une serviette pour que Blaise ne sente pas l'odeur de fumée.

Bon, maintenant on peut ouvrir.

Elle s'assit en tailleur devant le coffre et repéra sans peine la bonne clef – il suffisait de rechercher la plus vieille de toutes.

À l'intérieur se trouvait une boîte en bronze qui contenait elle-même une boîte en argent.

Celle-là renfermait un grimoire aux pages jaunies, ainsi qu'un minuscule flacon vert au bouchon cacheté à la cire et entouré de rubans. Il y avait aussi une quarantaine d'amulettes. Thea en prit une pour l'examiner de plus près.

C'était une mèche blonde formant un nœud, retenue par une boucle d'argile rouge sombre qu'elle caressa d'un doigt respectueux, car elle savait que cette couleur provenait du sang d'une sorcière. Ce devait être un Cercle tout entier qui l'avait élaborée autour d'un feu pendant des semaines, y mêlant du sang et de mystérieux ingrédients, sans cesser de chanter.

Je touche une sorcière, songea-t-elle, *l'essence même d'une personne morte depuis des siècles.*

Le signe cabalistique gravé sur l'amulette prétendait montrer à quoi ressemblait cette sorcière. Cependant l'argile était trop entamé pour qu'il n'y manque pas des morceaux, et on ne distinguait plus rien.

Ne t'inquiète pas. Trouve une description dans le livre et repère l'amulette qui lui correspond.

Elle tourna les pages fragiles en essayant de déchiffrer l'écriture en pattes de mouche, quelque peu passée.

Ix U Sihnal, Annie Butter, Markus Klingelsmith... non, ils ont l'air trop dangereux. Lucio Cagliostro... peut-être. Mais je ne cherche pas vraiment un alchimiste. Dewi Ratih, Omiya Inoshishi... Hé ! Phoebe Garner !

Elle lut attentivement la page qui concernait Phoebe, une gentille fille qui avait vécu en Angleterre avant la chasse aux sorcières, et entretenu des démons familiers. Elle était morte jeune de tuberculose, laissant un souvenir ému à tous ceux qui l'avaient connue ; même aux humains, qui appréciaient son aptitude à conjurer les mauvais sorts jetés sur son village. Sa tombe avait été longtemps révérée.

Parfait.

Fouillant parmi les amulettes, elle en chercha une représentant le même symbole que celui qui apparaissait sur le livre sous le nom de Phoebe.

Là ! Elle en saisit une qui renfermait une jolie mèche auburn.

Bon. Maintenant, le foyer.

Il devait être alimenté de chêne et de frêne, les deux essences qui avaient servi à cuire l'argile. Thea déposa les bâtons séchés dans la plus grande coupe de bronze qu'elle put trouver, et les alluma.

Ensuite, ajouter des morceaux de quassia, du chardon bénit et de la racine de mandragore. Cela, c'était juste pour susciter l'énergie vitale. La vraie magie ne proviendrait que du minuscule flacon ciselé tout d'une pièce dans un morceau de malachite, la potion de l'invocation, dont elle ignorait complètement la composition.

Elle enleva la cire avec ses ongles, jusqu'à ce que le bouchon tourne sans peine. Les mains tremblantes, elle s'arrêta un instant.

Jusque-là, elle n'avait fait qu'envisager d'enfreindre les lois : cela restait excusable. Tandis que maintenant... elle allait allumer un feu interdit... et cela, c'était impardonnable. Si les anciens découvraient ce qu'elle faisait...

Elle ouvrit le bouchon.

8

Une odeur âcre lui emplit les narines. Elle battit des paupières pour chasser ses larmes, en penchant le flacon vers le feu.

Une goutte, deux gouttes, trois gouttes.

Le feu crépita, virant au bleu.

Le foyer était prêt. Il n'existait pas d'autre moyen de solliciter un esprit de l'autre monde, sauf, bien sûr, en franchissant le voile pour aller le chercher en personne.

Prenant l'amulette de Phoebe des deux mains, elle la cassa puis la tint au-dessus de la flamme et prononça la formule qu'elle avait entendue dans la bouche des anciens au cours du dernier Samhain :

– Puissé-je recevoir la puissance de la parole d'Hécate !

Aussitôt, elle sentit les paroles monter en elle, rouler sur sa langue. Elle les perçut comme si c'était quelqu'un d'autre qui les prononçait.

De par-delà le voile… je te rappelle !
À travers la brume des ans… je te rappelle !
Des profondeurs du vide… je te rappelle !
Par l'étroit chemin… je te rappelle !
Jusqu'au cœur de la flamme… je te rappelle !
Viens, hâte-toi, fais diligence !

Une violente vibration ébranla le parquet. Sur le foyer semblaient brûler de nouvelles flammes, froides, fantomatiques, violettes et bleu pâle, qui grimpèrent à l'assaut de ses doigts.

Elle ouvrait les mains pour laisser tomber l'amulette dans le foyer magique, quand un choc retentit.

La porte s'ouvrit et, pour la deuxième fois en moins de douze heures, Thea sursauta d'effroi à la vue de Blaise.

– Toute la maison tremble… qu'est-ce que tu fiches ?

– Blaise… reste où tu es !

Celle-ci ouvrit la bouche, écarquilla les yeux.

– Mais qu'est-ce que tu fiches ?

– J'ai presque fini…

– Tu es dingue !

Elle lui arracha l'amulette des mains et, sans laisser à Thea le temps de réagir, s'empara aussi de la boîte d'argent.

– Rends-moi ça ! cria sa cousine en tentant de la lui reprendre.

Si bien qu'elles se retrouvèrent à se disputer la boîte en tirant chacune de son côté. Une flamme vint lécher le poignet de Thea.

– Lâche ça ! rugissait Blaise, en essayant de lui tordre le bras. Je te préviens…

Les paumes moites de Thea la trahirent et la boîte lui échappa.

Ce fut alors que cela se produisit.

Le couvercle s'ouvrit, laissant le passage à un jaillissement d'amulettes ; des mèches de cheveux blancs, noirs, roux se répandirent à travers la pièce et l'une d'elles atterrit directement dans le foyer.

Thea entendit un craquement lorsque le sceau se brisa.

Elle se figea une seconde avant de plonger la main dans le feu. Mais l'argile brûlait déjà et elle ne put le saisir. Un court instant, elle crut distinguer un symbole dessiné par les flammes bleues, puis un éclair en jaillit, la projetant sur le lit et Blaise contre le mur.

Une colonne se forma au milieu de la pièce.

Thea la sentit plutôt qu'elle ne la vit, cette forme fantomatique qui se répandit tel un vent arctique, envoyant voler livres et vêtements. Devant la fenêtre, elle parut marquer une pause, semblant rassembler ses forces, puis passa au travers comme si la vitre n'existait pas.

Elle avait disparu.

– Sainte Mère de la vie ! murmura Blaise toujours plaquée contre le mur.

Ses grands yeux gris épouvantés n'avaient pas quitté la fenêtre. Blaise qui avait peur !

Alors, seulement, Thea se rendit compte à quel point les choses prenaient mauvaise tournure.

– Qu'est-ce qu'on a fait ? murmura-t-elle.

– Parle pour toi ! Qu'est-ce que tu as fait ? Et c'était quoi, ce truc ?

Elle désigna les amulettes répandues sur le sol.

– D'après toi ? Une sorcière.

– Mais laquelle ?

– Comment veux-tu que je le sache ? cria Thea en laissant libre cours à sa colère. Voici celle que je voulais invoquer.

Elle brandit la mèche auburn et l'amulette brisée de Phoebe Garner.

– Quant à l'autre, elle est tombée de la boîte que tu m'as arrachée des mains.

– Ne rejette pas la faute sur moi ! C'est toi qui te lances dans des sorts défendus. C'est toi qui invoques les ancêtres. Alors quoi qu'il arrive, ce sera toi la seule responsable.

Là-dessus, Blaise se releva et remit de l'ordre dans ses cheveux.

– Ça t'apprendra à vouloir lancer des esprits à mes trousses !

Tournant les talons, elle sortit.

– Je ne voulais pas lancer des esprits à tes trousses ! cria Thea.

Mais la porte avait déjà claqué.

La colère de Thea s'évanouit aussi vite qu'elle était montée. Hébétée, elle contempla la boîte en argent renversée, où elle avait momentanément déposé le morceau de mouchoir maculé du sang d'Eric.

Moi qui lui cherchais un protecteur, quelqu'un qui puisse l'aider à conjurer tes sorts, qui saurait le prendre pour une personne, même si ce n'est jamais qu'un humain...

Elle promena un regard désespéré autour d'elle, puis se releva péniblement, se sentant plus vieille que sa grand-mère ; et se mit à ranger machinalement tout ce qui lui tombait sous la main.

En vidant les cendres de la coupe de bronze, elle trouva quelques résidus collés au fond. Elle ne put les faire partir ni à l'eau ni au couteau. Alors, elle cacha le récipient sous son lit.

Cependant, son esprit ne cessait de s'agiter. *Qui donc vient de s'échapper par la fenêtre ?* Impossible de le savoir. Inutile de chercher à procéder par élimination, avec toutes ces amulettes sans aucune inscription.

Que faire maintenant ? Là non plus, elle n'avait pas la réponse.

Tous ceux à qui je pourrais raconter ça, même mamie, voudront savoir pourquoi j'ai invoqué les morts. Mais s'ils découvrent la vérité, c'est la fin pour Eric et pour moi.

Au coucher du soleil, une limousine vint se garer à l'arrière de la maison. Thea l'aperçut de sa fenêtre et se rua dans l'escalier, affolée.

C'étaient deux vampires qui ramenaient sa grand-mère, polis et indifférents. Des domestiques de Thierry.

– Mamie, qu'est-ce qui t'arrive ?

– Rien du tout. Juste une petite défaillance.

Elle frappa de sa canne l'un des vampires :

– Je peux me débrouiller toute seule, mon garçon !

– Oui, madame.

Et peu importait qu'il ait au moins trois fois son âge. Il s'adressa ensuite à Thea :

– Votre grand-mère s'est évanouie ; elle nous a fait très peur pendant un bon moment.

– Et mon bon à rien d'apprenti qui ne s'est pas manifesté ! gronda mamie en se dirigeant vers la porte du fond.

Thea congédia les vampires d'un signe de la tête.

– Mamie, expliqua-t-elle ensuite, c'est ma faute. J'ai dit à Tobias qu'il pouvait prendre sa journée.

Elle avait déjà le cœur serré, et cela ne fit qu'empirer.

– Tu as vraiment eu un malaise ?

– Ne t'inquiète pas, ma dernière heure n'a pas encore sonné. Les vampires ne savent pas ce que c'est que la vieillesse.

– Qu'est-ce que tu allais faire là-bas ?

Mamie s'arrêta dans l'escalier pour tousser.

– Ça ne te concerne pas. Je devais voir Thierry afin qu'il laisse le Cercle vital utiliser ses terres pour Samhain.

Thea courut dans la kitchenette pour y préparer de la tisane et, en l'apportant à mamie dans son lit, rassembla tout son courage :

– Dis-moi, quand les anciens appellent les esprits à Samhain, comment est-ce qu'ils les renvoient ensuite ?

– Qu'est-ce que ça peut te faire ? Bon, il existe des sorts propres à l'invocation, et ne me demande pas lesquels... on les utilise également pour conjurer ces esprits. Il faut juste que ce soit la même sorcière qui procède aux deux rituels.

C'est donc à moi seule de m'en charger.

– Et ça suffit ?

– Bien sûr que non ! C'est tout un processus que d'allumer le feu, de répandre les plantes... Pour peu qu'on s'y prenne bien, on peut rappeler un esprit d'entre les pierres levées, et le renvoyer ensuite d'où il vient.

Mamie marmonna autre chose, mais Thea la ramena sur la phrase précédente :

– D'entre... les pierres levées ?

– Celles qui encerclent les esprits. Réfléchis, Thea ! Sans la présence d'un cercle quelconque pour les contenir... *zou* ! Ils fileraient, quoi, et comment ferais-tu pour les rattraper ? C'est même pour ça que je suis allée voir Thierry.

Elle avala bruyamment une gorgée de tisane avant de reprendre :

– Il nous faut un endroit où les menhirs forment un cercle naturel... et évidemment, c'est à moi de m'en charger...

Thea se sentit mal.

– On doit se trouver... physiquement proche d'eux... pour les renvoyer ?

– Bien sûr. On doit être à deux pas. Et ne crois surtout pas que j'ignore pourquoi tu me demandes ça.

Thea cessa de respirer.

– Tu prépares quelque chose pour Samhain, et je parie que l'idée vient de Blaise. Toutes les deux, vous êtes comme Maya et Hellewise. Mais tu peux tirer un trait dessus, ces sorts sont réservés aux anciens, pas aux jeunes filles. On se demande pourquoi les novices tiennent tant à jouer les vieux avant l'âge ! Vous feriez mieux de profiter de votre jeunesse, tant que...

Thea la laissa continuer de marmonner dans sa chambre.

Elle n'avait pas tracé le moindre cercle avant d'invoquer l'esprit : elle ignorait cet aspect du sortilège.

Et maintenant... comment parviendrait-elle à s'en rapprocher assez pour le renvoyer ?

Tant pis... il n'a qu'à se balader à travers le monde... ce ne sera ni le premier ni le dernier. Et puis si ça ne lui plaît pas, il reviendra.

Néanmoins elle culpabilisait énormément et le malaise de mamie n'avait rien pour la rassurer.

Blaise ne monta pas se coucher, cette nuit-là. Elle resta en bas, à travailler sur son collier.

Le lundi, tout le monde au lycée parlait de Randy Marik et de la fête gâchée. Les filles étaient furieuses et en voulaient beaucoup à Blaise ; les garçons accusaient Randy.

– Ça va ? s'enquit Dani après le cours de littérature. Tu es toute pâle.

Thea sourit faiblement.

– Je n'ai pas arrêté, ce week-end.

– C'est vrai ? Tu as fait quelque chose sur Eric ?

La façon dont Dani articulait ce « quelque chose » sonnait mal. Elle affichait une expression douce et inquiète, comme à son habitude... pourtant, impossible de lui faire confiance. C'était une créature de la nuit, une sorcière, une antihumain.

Ce qui n'y changea rien. Thea était tellement à cran qu'elle explosa :

– Quoi, « quelque chose » ? Je lui ai bousillé sa voiture ? Je l'ai transformé en crapaud ?

Choquée, Dani écarquilla les yeux.

Déjà, Thea tournait les talons et s'en allait.

Quelle idiote ! se disait-elle. *Qu'est-ce que tu avais besoin de dire ça ? Ce n'est plus la peine de jouer la comédie à Blaise, mais devant les autres sorcières, c'est essentiel.*

Elle se dirigeait machinalement vers le casier d'Eric, sans jeter un coup d'œil à ceux qu'elle croisait.

Je ne suis là que depuis une semaine. Comment ma vie a-t-elle pu si mal tourner ? La guerre est déclarée entre Blaise et moi ; j'ai prononcé une incantation interdite ; je n'ose pas en parler à mamie... et j'ai enfreint les lois du Night World.

– Thea ! Je te cherchais.

La voix d'Eric. Chaude, ardente... tout le contraire de Thea. En se tournant, elle ne vit que ces yeux verts mouchetés de gris, cet étonnant sourire qui l'attirait tant, et qui bouleversait le monde.

Peut-être que tout cela se terminerait bien, finalement.

– Je t'ai appelée hier, mais je suis tombé sur ton répondeur.

Elle n'avait même pas songé à vérifier si elle avait des messages.

– Excuse-moi... j'avais trop de trucs à gérer en même temps.

Eric semblait si gentil qu'elle cherchait quoi lui raconter.

– Ma grand-mère a été malade.

– C'est terrible.

– Oui.

Elle chercha dans sa besace le sachet d'herbes qu'elle y avait mis le matin, marqua une hésitation.

– Eric... tu connais un endroit où on pourrait discuter tranquillement ? Juste quelques minutes. Je voudrais te donner quelque chose.

– Avec plaisir. Viens, je sais où aller.

Il la précéda à travers le campus, jusqu'à un large bâtiment un peu en retrait des autres, légèrement décrépi. Une bannière annonçait en lettres orange et noires : « NE MANQUEZ PAS NOTRE MYTHIQUE SOIRÉE HALLOWEEN ! ».

– On est où, là ?

En ouvrant la porte, Eric posa un doigt sur ses lèvres. Il jeta un coup d'œil à l'intérieur, puis lui fit signe d'entrer.

– C'est l'ancien gymnase ; en principe, ils devraient en faire une résidence pour les élèves, mais ils n'ont pas d'argent pour le moment. Tu comprends, avec toutes ces innovations en ville, les hôtels et le reste… Alors, qu'est-ce que tu voulais me donner ?

– Ça…

Elle s'interrompit net en voyant le décor qui l'entourait, oubliant d'un coup le sachet d'herbes.

– Eric…

Prise d'un début de nausée, elle regardait autour d'elle.

– Dis-moi… c'est pour la soirée de Halloween ?

– Oui, on donne plusieurs galas de charité par an. Celui-ci peut sembler glauque, mais on l'a déjà fait l'année dernière et il a rapporté beaucoup d'argent.

Si ce n'était que glauque… Je n'emploierais pas ce mot…

La moitié du gymnase restait vide, habitée d'un seul panneau de basket-ball cassé et de tuyaux dénudés au plafond. Mais l'autre moitié tenait à la fois du château médiéval et du casino. Thea prit lentement cette direction, faisant claquer ses talons sur le parquet éraflé, vers les stands de bois décorés de crépon noir et orange et de fausses toiles d'araignées. Elle déchiffra l'une après l'autre les pancartes.

– « Bonne aventure »... « Jeu de massacre »... « Pommes d'amour »...

– On ne mise pas vraiment d'argent, juste des jetons qu'on échange contre des lots, expliqua Eric.

Thea ne pouvait quitter des yeux ces baraques offrant une roue de la torture avec son faux supplicié écartelé. Un loto sanglant. Des flèches du diable... un jeu de fléchettes avec une sorcière en liège pour cible.

Et des sorcières, il y en avait partout. De chiffons, pendues aux tuyaux du plafond, de carton pour vous espionner du haut de leur baraque, de papier, qui dansaient sur les murs. Grosses ou maigres, aux cheveux blancs ou gris, qui louchaient ou plissaient les paupières, pleines de verrues, ricanantes, effrayantes... toujours laides. C'était même la seule chose qu'elles avaient en commun.

C'est ainsi qu'ils nous voient, les humains. Tous les humains...

– Thea, ça va ?

Elle fit volte-face :

– Non, pas du tout ! Regarde autour de toi, tu trouves ça drôle ? Ça te donne envie de t'amuser ?

À peine consciente de son attitude, elle se tourna vers « La vierge de fer », une cage à forme humaine hérissée de pointes de caoutchouc sur sa paroi intérieure.

– Et les gens vont payer pour entrer là-dedans ? Ils ne se rendent pas compte que ça a existé ? Qu'on y mettait vraiment des personnes vivantes et que, quand on fermait la porte, elles avaient le ventre, les bras et les yeux transpercés...

Elle ne put en dire davantage.

Eric paraissait aussi secoué que Dani précédemment. Il ne l'avait jamais vue dans cet état.

– Thea... attends, je suis désolé... Je n'aurais pas cru...

– Et ça ! s'écria-t-elle devant la roue de la torture. Tu sais ce qu'on faisait aux sorcières, sur cette roue ? On leur brisait tous les os l'un après l'autre, pour pouvoir les enrouler autour de la roue comme des spaghettis. Ensuite, on les hissait sur un mât jusqu'à ce qu'elles meurent...

Eric en grimaça d'horreur.

– Bon sang, Thea...

– Et ces images... les sorcières qu'on torturait n'avaient pas la peau verte, ni ces yeux de démon. Ce n'étaient pas des monstres, elles n'avaient rien à voir avec l'enfer. C'étaient des personnes...

Il lui tendit la main, mais elle la refusa, l'œil fixé sur une mégère particulièrement hideuse dessinée au mur.

– Tu trouves que c'est un décor pour une soirée, toi ? Que c'est drôle ? Que les sorcières ont cette tête-là ?

Elle imaginait déjà le tableau, Dani, Blaise et toutes les autres sorcières sur la gauche ; Eric et les élèves, ainsi que tous les autres humains sur la droite, les deux races se considérant mutuellement avec haine et mépris. Et elle au milieu.

Il la saisit par les épaules.

– Non, je ne trouve pas ça bien. Thea, tu m'écoutes une minute ?

Il la secouait presque, mais elle remarqua ses larmes au coin des yeux.

– Je trouve ça moche, continuait-il. Je n'ai jamais pris ces trucs au sérieux, mais j'avais tort. Maintenant que tu le dis, je me rends compte à quel point c'est immonde, même si ce n'est pas une excuse. Je n'aurais jamais dû t'amener ici, surtout toi…

Alors qu'elle commençait à se calmer, cette dernière remarque la heurta de nouveau.

– Pourquoi, surtout moi ?

Il hésita un instant, se lançant d'un seul coup :

– Avec le magasin de ta grand-mère. Je sais qu'il ne s'agit que de plantes et de pensée positive, mais je sais aussi qu'autrefois, il se serait bien trouvé quelqu'un pour pointer ta grand-mère du doigt en la traitant de sorcière.

Thea se détendit de nouveau. Tant mieux, si les gens prenaient mamie pour une « sorcière »... dans la mesure où ils entendaient par là quelqu'un qui parlait aux plantes et fabriquait ses propres lotions capillaires.

Elle sauta sur l'occasion.

– Oui, et on m'aurait sans doute brûlée pour t'avoir fait ce cadeau, dit-elle en ouvrant la main. Et tu aurais sans doute eu peur si je t'avais demandé de le porter en permanence, tu aurais pensé que je voulais te jeter un sort...

– Je n'aurais rien pensé du tout, assura-t-il en prenant le sachet.

Cela embaumait les aiguilles de pin fraîches ; elle y avait ajouté quelques herbes protectrices et un cristal d'Ishtar, un béryl doré en forme d'étoile à trente-trois facettes, incrusté du nom de la déesse mère de Babylone. Elle ne pouvait trouver meilleur talisman pour l'aider à surmonter les mauvais sorts de Blaise.

– Je vais l'embrasser et le garder toujours dans ma poche. Mmmm... ça sent bon !

Thea ne put s'empêcher de lui sourire, avant de lâcher :

– En fait, c'est juste pour que tu penses à moi.

– Il ne quittera jamais ma poche, promit-il d'un ton solennel.

Finalement, ça avait très bien marché.

– On pourrait peut-être faire quelque chose pour cette salle, reprit-il en regardant autour de lui. Le comité du lycée préférera certainement éviter le scandale. J'ai envie d'emprunter un appareil photo aux rédacteurs du journal scolaire et de faire quelques clichés, pour que les gens voient exactement de quoi on se plaint.

Thea jeta un coup d'œil à sa montre.

– Pourquoi pas ? De toute façon, j'ai raté mon cours de français.

Il sourit.

– Je reviens dans une minute.

En son absence, elle se promena pensivement parmi les stands.

Je râlais tellement, tout à l'heure, que j'ai failli lui lâcher toute la vérité. Et après, j'ai cru qu'il avait compris.

Et quand bien même ? Du seul fait que je l'aime, je l'ai déjà mis en danger de mort ; alors maintenant, qu'il le sache ou non...

Pourtant, s'il savait... que dirait-il ? Les sorcières, même s'il n'a rien contre dans l'absolu, est-ce qu'il a vraiment envie d'en avoir une pour copine ?

Le seul moyen de le savoir était de tout lui révéler.

Adossée à une échelle, elle fixait sans la voir une toile cirée étalée au sol, sous une corde de pendu. Bon, c'était une question purement théorique. Quel pourrait être leur avenir, de toute façon ?

Soudain, elle prit conscience de ce qu'elle était en train de contempler.

De dessous cette toile cirée émergeait une chaussure. Instinctivement elle avait pris cela pour un mannequin de sorcière... mais, à y regarder de plus près... Elle en eut la chair de poule.

Pourquoi chausserait-on une sorcière de baskets Nike ?

9

Cette chaussure lui paraissait si saugrenue que Thea crut un instant que ses yeux lui jouaient des tours. C'était l'atmosphère ambiante… cette salle mal éclairée avec ses stands sinistres. Qu'elle détourne un tant soit peu les yeux, et elle verrait bien que…

Elle était toujours là.

Je ferais mieux d'attendre, d'appeler à l'aide. C'est peut-être quelque chose d'affreux. C'est aux autorités humaines de s'en occuper ; je devrais au moins attendre Eric…

Elle avançait comme dans un rêve, lentement, irrésistiblement.

Saisissant le bord de la toile entre le pouce et l'index, elle la souleva de quelques centimètres.

Il y avait une jambe au bout de la chaussure.

Une jambe dans un jean. Rien à voir avec un mannequin. Et puis une autre chaussure.

Saisie d'horreur, Thea s'avisa soudain qu'il pouvait s'agir d'une personne blessée, qui pourrait avoir besoin d'aide. Alors, l'urgence l'emporta sur son effroi.

Accroche-toi. Ça va ? Laisse-moi voir...

À mesure qu'elle écartait la toile, elle voyait apparaître les deux jambes, le corps, les doigts serrés sur la manche d'une poupée sorcière vêtue de noir...

Et puis elle découvrit la tête et recula, les mains pressées sur la bouche. Il lui avait suffi d'un coup d'œil pour que l'image s'imprime à jamais dans son esprit.

Ce visage grisâtre, horriblement tuméfié, ces yeux révulsés, cette langue qui pendait comme une saucisse entre les lèvres noircies...

Thea se sentit défaillir.

Elle avait déjà vu des morts. Elle avait assisté à des cérémonies d'adieux de sorcières qui retournaient à la terre. Cependant, il s'était agi de morts naturelles et les cadavres étaient paisibles. Tandis que celui-là...

Je crois que c'était un garçon. Il avait les cheveux courts et la poitrine plate. Mais impossible de reconnaître son visage, tant il grimaçait... il n'avait plus rien d'humain.

Il a connu une mort violente. Que son esprit s'en aille en paix ; qu'il ne reste pas à errer ici pour se venger. Ô Sekhmet, déesse d'Égypte à tête de lionne, maîtresse de la mort, ouvreuse des chemins, Sekhmet qui réduis au silence...

Ses pensées incohérentes furent interrompues par un rayon de soleil. À la porte, Eric criait :

– Me voilà !

Elle se leva, les jambes flageolantes, ouvrit la bouche mais ne parvint qu'à murmurer :

– Eric…

Il courut vers elle :

– Qu'est-ce qui se passe ? Thea ?

– C'est quelqu'un… qui est mort.

Il écarquilla les yeux sans avoir l'air d'y croire, puis son regard se porta sur la forme étendue à terre. Ils s'accroupit, l'examina un instant. D'un seul coup, il se releva et prit Thea dans ses bras, comme s'il pouvait la protéger de ce qu'elle n'avait déjà que trop vu.

– Ne regarde pas, souffla-t-il. C'est atroce !

– Je sais. J'ai vu.

– C'est atroce, tellement atroce…

Ils s'accrochaient l'un à l'autre, seul recours dans ce cauchemar.

– Il est mort. Ce type est mort, répétait Eric, éperdu. On ne peut plus rien pour lui. Oh, mon Dieu, Thea ! Je crois que c'est Kevin Imamura.

– Kevin ?

Des taches noires dansaient devant les yeux de Thea.

– Non, ce n'est pas possible…

– Je l'ai déjà vu porter cette chemise. Et puis la coiffure… il faisait partie du comité qui a décoré cet endroit. Il devait être en train d'installer cette poupée.

Une image affreuse se dessina dans la tête de Thea, suscitée par cette balafre desséchée qui évoquait trop une blessure infligée par la lame d'un rasoir. Et ces cheveux noirs et soyeux… Oui, ce pouvait être Kevin. Ce qui voulait dire…

Blaise.

– Viens, murmura Eric d'une voix étouffée. Il faut qu'on aille prévenir la principale.

L'esprit ailleurs, elle se laissa guider sans réagir.

Blaise. Blaise savait-elle ? Aurait-elle pu…

Thea ne voulait même pas formuler ces pensées, pourtant elle ne put s'en empêcher.

… Et finalement, aller jusqu'au bout ? Non seulement verser le sang, mais aussi prendre une vie ?

C'était interdit aux sorcières. Cependant, les Harman étaient en partie lamies, et il arrivait que des vampires tuent pour une question de pouvoir. Blaise s'était-elle à ce point enfoncée dans les ténèbres ?

Après leur passage dans le bureau de la principale, les choses se déroulèrent très vite, mais Thea ne suivit pas vraiment leur évolution. C'était comme si tout se passait en dehors d'elle-même. Les secrétaires. La principale. La police. Elle était contente qu'Eric se charge de répéter l'histoire à tous leurs interlocuteurs, ce qui lui évitait de le faire.

Il faut que je trouve Blaise.

Ils étaient retournés à l'ancien gymnase, qui fut bientôt entouré du ruban jaune de sécurité. Une foule de professeurs et d'élèves s'assembla autour, mais elle n'y vit pas sa cousine.

Des commentaires s'élevaient parmi eux :

– Il paraît que c'est Kevin Imamura.

– On a dit que le type de la soirée était revenu le frapper.

– Eric ! Eric, c'est vrai que tu l'as vu ?

Et puis une voix domina toutes les autres :

– Madame Cheng, et la fête de Halloween ? Elle se tiendra quand même ici ?

La principale, qui était en train de discuter avec deux policiers, se retourna, les cheveux noirs agités par le vent :

– Je ne sais pas encore. C'est une tragédie qui vient d'avoir lieu ici, et il va y avoir une enquête. Nous devons attendre ce qui en ressortira. Regagnez tous vos cours, maintenant ! Messieurs les professeurs, veuillez donner l'exemple et emmener vos élèves.

– Je ne peux pas y aller, murmura Thea.

Avec Eric, ils se tenaient un peu en retrait des groupes qui commençaient à s'éloigner. Tout le monde semblait les avoir oubliés.

– Je vais te ramener chez toi, proposa-t-il.

– Non, il faut que je trouve Blaise. J'ai des questions à lui poser.

Elle s'efforçait de faire fonctionner son cerveau encore sous le choc.

– Eric, j'aurais dû t'avertir avant. Tu dois faire attention.

– À quoi ?

– À Blaise.

– Pardon ? demanda-t-il, incrédule. Ne me dis pas qu'elle a quelque chose à voir là-dedans !

– Je n'en sais rien. Elle peut avoir envoyé quelqu'un le faire à sa place, ou s'en être chargée elle-même... Je sais que tu ne comprends pas, mais crois-moi. Elle est comme Aphrodite ou Médée. Elle détruit en riant ceux qui s'opposent à elle, surtout quand elle se met en colère. Et elle t'en veut à mort.

– Mais pourquoi ?

– Parce que tu m'as choisie moi, et non elle, parce que je t'aime bien, parce que... enfin, un tas de choses. Peu importe. Ce qui compte, c'est qu'elle pourrait s'en prendre à toi. Qu'elle pourrait essayer de... te séduire.

Et de te faire du mal. Alors, tu me promets de te méfier, quand tu la verras ?

Malgré son expression stupéfaite, il hocha la tête.

– Promis.

– Bon, on se voit plus tard. On a beaucoup de choses à se dire... mais il faut d'abord que je retrouve Blaise.

Elle alla se joindre aux élèves qui s'éparpillaient, mais elle sentait le regard d'Eric posé sur elle.

Un geste capta son attention, c'était Dani qui l'interpellait, l'air soucieux :

– Thea, ça va ?

Celle-ci eut un rire forcé :

– À peu près. Tu n'aurais pas vu Blaise, par hasard ?

– Elle est rentrée avec Vivienne. Enfin, chez toi... Je t'accompagne, si tu veux. Tu ne devrais pas rester seule.

Pour appuyer son propos, Dani lui avait pris la main.

– Merci, dit Thea, soulagée de constater qu'elle ne lui en voulait pas. Ce serait sympa. Et pour ce que je t'ai dit tout à l'heure...

– Oublie. Je ne cherchais pas à te stresser. Tu es sûre que ça va, Thea ? C'est vrai ? Parce que je ne voudrais pas t'inquiéter...

– Quoi ? Qu'est-ce qu'il y a ?

– Ta mamie est malade. C'est pour ça que Blaise et Vivienne sont rentrées... La mère de Vivienne a appelé sa fille. C'est une guérisseuse... enfin, sa mère. Je crois qu'elle va prendre ta mamie chez elle.

Cette nouvelle ne fit qu'inquiéter davantage Thea. Mamie ne s'était pas installée à Las Vegas pour la même raison que les autres créatures de la nuit. Lamies et nouveaux vampires y venaient, car de nombreux humains ne faisaient qu'y passer... on s'apercevait ainsi moins vite de leur absence en cas de disparition. Certaines sorcières y étaient aussi attirées car leurs pouvoirs décuplaient dans le désert. Tandis que mamie avait choisi cet endroit pour son climat chaud et sec. Ses poumons avaient toujours été fragiles.

Pourvu que ce ne soit pas trop grave ! songeait Thea malgré elle, pendant que Dani la ramenait en voiture. Elle avait l'impression que sa peau se tendait, comme ébouillantée.

En arrivant à la boutique, elle put constater que sa grand-mère était déjà partie. Elle fut accueillie par Tobias et Vivienne.

– Elle va bien ? s'enquit Thea. C'est grave ?

– Pas trop, assura Tobias. Elle a eu des vertiges toute la journée, et puis elle s'est mise à tousser sans pouvoir s'arrêter. Finalement, elle m'a demandé de prévenir Madame Morrigan.

Super ! La psalmodieuse ! Tout ce que mamie adore... Fallait-il qu'elle ait été malade pour en arriver là !

– Je peux lui téléphoner ?

– À ta place, conseilla gentiment Vivienne, je m'en abstiendrais pour l'instant. Je suis sûre que maman est en train de chanter des litanies pour la guérir. Ça va prendre toute la nuit. Il vaudrait mieux ne pas les déranger. Mais ne t'inquiète pas, maman sait ce qu'elle fait.

– Oui, je n'en doute pas. Tu es au courant de ce qui se passe au lycée ?

– Non, dit Vivienne interloquée. Quoi ?

Au lieu de répondre, Thea demanda :

– Où est Blaise ?

– En haut. Elle prépare ses affaires pour passer la nuit chez moi. Tu peux venir aussi... Thea ?

Celle-ci gravissait déjà les marches quatre à quatre.

Elle entra dans la chambre comme une bombe. Blaise avait ouvert une petite valise sur son lit.

Sans s'encombrer de discours, Thea lança :

– C'est toi qui as tué Kevin Imamura ?

Blaise en laissa tomber un petit blouson de soie noire.

– J'ai quoi ? Qu'est-ce que tu racontes ?

– Il est mort.

– Et tu crois que c'est moi ? Merci quand même, mais ce n'est pas lui que je veux tuer !

Thea en eut froid dans le dos. Sa cousine ne lui laissa cependant pas le temps de répondre :

– Qu'est-ce qui lui est arrivé ?

– On l'a étranglé. Assassiné, quoi.

Blaise haussa un sourcil.

– Ah bon, marmonna-t-elle en examinant une chemise. Je me demande où est passé Randy. Tu veux venir chez Viv avec moi ? Ça vaudrait mieux que de rester ici toute seule.

– Je n'en sais rien. Est-ce qu'il faut que je te surveille pour qu'Eric ne finisse pas comme Kevin ?

Blaise lui jeta un regard brûlant.

– Quand je m'en prends à un garçon, je commence par m'amuser un peu. Je ne vais pas tout gâcher en l'étranglant du premier coup.

Là-dessus, elle fit claquer le couvercle de sa valise et sortit sans en dire davantage.

Thea s'assit sur son lit.

Malgré ce qu'elle venait d'entendre, elle savait que Blaise n'avait rien fait. Sa cousine lui avait paru bel et bien surprise.

Et Randy ? Ç'aurait pu être lui, si la police ne l'avait pas emmené, s'il s'était échappé... Et il avait toutes les raisons de haïr Kevin. Mais...

L'autre explication s'imposa si rapidement que Thea devait l'avoir depuis un moment derrière la tête.

L'esprit.

Elle demeura longtemps immobile à réfléchir, à tâcher d'émerger de l'épais brouillard qui lui embrumait encore le cerveau.

Mamie partie... de toute façon, si elle est malade, je ne vais pas l'embêter avec ça... Bien entendu, Blaise ne voudra pas m'aider... pourtant, il faudrait que je puisse m'appuyer sur quelqu'un...

Dani poussa doucement la porte.

– Je peux entrer ?

Thea acquiesça et son amie se glissa dans la chambre pour venir s'asseoir sur le lit de Blaise.

– Ils sont partis. J'ai dit à Tobias d'y aller aussi... il avait une copine qu'il voulait voir. Je passerai la nuit ici, si tu veux bien.

Thea soupira de soulagement.

– Merci, Dani.

– Écoute, je ne veux pas avoir l'air de m'imposer, mais... tu es sûre que ça va ? Tu es pâle comme une morte. Euh... excuse-moi pour la comparaison. Seulement, je suis ton amie, et si je peux faire quelque chose pour toi...

Nouveau soupir. Et puis Thea prit sa décision :

– J'ai prononcé une incantation interdite.

Dani en parut choquée, mais pas effondrée.

– Laquelle ?

– J'ai invoqué les esprits.

Comme son amie ne se mettait ni à hurler ni à s'arracher les cheveux, Thea s'autorisa à lui raconter toute l'histoire. Du moins presque toute, car elle ne confia pas les raisons qui l'avaient poussée à cette démarche.

– Et maintenant j'ai peur, acheva-t-elle. J'ai libéré je ne sais quel truc hier, et aujourd'hui Kevin s'est fait tuer. Blaise n'y est pour rien. Elle croit que Randy y est peut-être mêlé, mais…

– Enfin, Thea, sois logique ! Pourquoi veux-tu que tes incantations aient quelque chose à voir là-dedans ? Tu as libéré quelqu'un hier, pas un « truc », comme tu dis. Les anciens invoquent les esprits à longueur de journée sans qu'il arrive rien de mal. Tu culpabilises parce que tu sais que tu ne devais pas faire ça.

– Non, Dani, je ne sais pas comment t'expliquer ça, mais la chose que j'ai libérée n'avait rien de sympathique. Elle nous a bousculées, Blaise et moi. C'est la première fois que je vois un esprit faire ça.

– Attends… pourquoi un ancêtre irait-il tuer un humain ?

– Je n'en sais rien. Mais peut-être que le livre nous le dira.

Dix minutes plus tard, elles étaient installées sur le lit de Thea, le coffre à leurs pieds, le livre sur les genoux.

– D'abord, comment décrirais-tu l'amulette tombée dans le feu ? interrogea Dani d'un ton rationnel. Par exemple, si la mèche était grise, ça voudrait dire…

– Que la sorcière était âgée, embraya Thea. Non, pas grise, ni blanche. Plutôt sombre… je dirais acajou.

Elle ferma les yeux pour mieux se la représenter.

– Tout s'est passé si vite… mais je crois qu'elle était longue, elle entourait plusieurs fois l'argile.

– Ce doit donc être une femme.

– Oui.

Thea feuilleta le livre pendant plusieurs minutes sans rien dire.

– Hé ! Regarde ça…

Dani déchiffra avec difficulté :

– « Suzanne Blanchet. Née en 1634 à Esgavans, le jour même où on fêtait la paix entre la France et l'Espagne par des feux de joie. Jugée en 1653 à Ronchin, prisonnière à l'office de Rieux. »

– Écoute les charges portées contre elle. Elle était accusée d'avoir « ensorcelé des champs, tué du bétail, apporté la famine sur le pays et étranglé des nouveau-nés la nuit avec ses longs cheveux ».

– Étranglé… balbutia Dani.

– Comme elle refusait d'avouer, on l'a torturée. Écoute : « Déployée sur le chevalet, elle nia d'abord être une sorcière, mais, étant plus fort tirée sur la question, elle fit de nouveaux aveux. »

– Ensuite, ils ont torturé sa famille, continua Dani en suivant le texte du doigt. Ô Isis ! Regarde. Elle avait un frère de dix ans, Clément, et une sœur de six ans, appelée Lucienne. Ils ont tous les deux été torturés.

– Et brûlés, acheva Thea en tremblant. Tiens, écoute : « Les enfants se virent accorder la grâce d'être étranglés avant le bûcher mais, le bourreau n'ayant point été payé, ils furent jetés vivants dans les flammes... »

Elle ne put achever.

– « ... sous les yeux de leur sœur », murmura Dani en l'étreignant. Comment peut-on faire une chose pareille ?

– Je me le demande.

– Pas étonnant que les lois du Night World soient aussi strictes. Pas étonnant qu'on doive garder le secret... quand on voit ce qu'ils sont capables de nous faire...

Thea déglutit. Elle préférait ne pas songer pour le moment aux lois du Night World. Elle reprit la lecture du livre :

– Ensuite, ils ont brûlé Suzanne. « Livrée aux flammes du bûcher, elle laissa échapper plusieurs fulminations, promettant de se venger. »

– Tu m'étonnes, commenta Dani d'un ton coupant. À sa place, je reviendrais pour les tuer.

Toutes deux se regardèrent dans les yeux.

– C'est peut-être ce qu'elle a fait, énonça lentement Thea. Sauf qu'elle n'a pas pu s'en prendre à ses tortionnaires. Mais elle a trouvé quelque chose qui a dû lui paraître familier dans la reproduction de salle de tortures dans l'ancien gymnase. Et là se trouvait Kevin, en train de suspendre une poupée sorcière, ce qui a dû lui rappeler... je ne sais pas trop quoi au juste, mais ça a dû la rendre folle.

– Alors elle l'a tué. Étranglé. C'était bien un des crimes dont elle avait été accusée, non ? Thea, tu n'aurais pas remarqué quelque chose autour du cou de Kevin ?

Les yeux fixés sur les rideaux, Thea essaya de se souvenir. Cette face horriblement défigurée... cette langue pendante... ces marques sombres sur le cou.

– Non, souffla-t-elle. Il restait bien des traces, mais ce qui l'a étranglé avait disparu.

– Elle l'a emporté avec elle.

Dani frissonna et, soudain, posa les deux mains sur le livre.

– Ou peut-être pas. Écoute, Thea, ça fait sans doute une bonne histoire à raconter, mais franchement, ce ne sont que des spéculations.

– Je ne sais pas. Tiens, ce symbole sous le nom de Suzanne Blanchet, je le reconnais. Je l'ai entraperçu une seconde sur l'amulette dans le feu.

– Tu es sûre ?

– Oui. C'est elle, Dani ; je suis responsable de tout ce qui vient d'arriver. C'est moi qui ai libéré son esprit... et maintenant, elle tue des gens. À cause de moi, quelqu'un est mort !

Ce ne fut qu'en articulant ces mots qu'elle prit pleinement conscience de la situation, qu'elle comprit la portée réelle de son acte. Kevin était mort. Jamais plus il n'irait au lycée, jamais il ne pourrait réparer sa Porsche. Jamais plus il ne sourirait à une fille. Il avait tout perdu.

– Et ça me rend malade !

Sa phrase s'acheva dans une sorte de spasme, comme si elle allait vomir. Mais ce furent des sanglots qui la submergèrent.

Dani la prit dans ses bras et la laissa d'abord pleurer tout son soûl. Puis, quand elle la vit se calmer un peu, elle s'écria avec ferveur :

– Tu ne savais pas ! Tu n'avais pas l'intention de faire du mal. Tu ne faisais que t'amuser un peu et ça a mal tourné. Tu ne savais pas.

– N'empêche.

En se redressant, Thea s'essuya le visage avec sa manche. D'un seul coup, la douleur qui lui tordait le cœur s'était muée en une sorte d'ardeur stimulante. Un besoin d'agir.

– N'empêche, répéta-t-elle. C'est quand même ma faute. Mais voilà, je ne vais pas la laisser faire. Il faut que je l'arrête. Autrement dit, il faut que je la renvoie d'où elle vient.

– Alors, je te suis, affirma Dani. Par quoi est-ce qu'on commence ?

Thea contempla de nouveau le mur, puis déclara :

– J'ai une idée.

10

— Mamie m'a dit que la seule personne qui pouvait renvoyer un esprit était celle qui l'avait invoqué, dit Thea. L'ennui, c'est que pour cela, il faut pouvoir l'approcher.

– Bon, acquiesça Dani, mais...

– Attends, j'y arrive.

Thea se leva et se mit à faire les cent pas entre les deux lits. Au début, elle parla lentement, puis de plus en plus vite.

– Je suis sûre que ce n'est pas la première fois que ça se produit. Ne me dis pas que jamais aucune sorcière n'a invoqué un esprit, qu'elle ne l'a jamais laissé lui échapper, et qu'elle n'a pas dû se mettre à sa recherche !

– Évidemment, mais qu'est-ce que ça change ?

– Il suffit d'en trouver le récit, de voir comment elle s'y est prise pour le rattraper, et on pourrait s'y mettre à notre tour.

Dani trouvait l'idée à son goût.

– Attends ! Il se pourrait même qu'on ne l'ait pas invoqué. Je parie qu'il y a des esprits qui sont revenus tout seuls de l'autre monde. On trouvera peut-être un texte qui raconte comment ils ont traversé le voile.

– Ou un conte. Ou un poème. N'importe quoi, pourvu que ça indique comment s'y prendre pour les garder dans une pièce pendant qu'on prononce les formules pour les renvoyer.

Thea décocha un sourire à Dani et poursuivit :

– S'il y a des choses que mamie aime collectionner, ce sont les récits, les contes et les poèmes. J'en ai vu des centaines à l'atelier.

– Je vais téléphoner à ma mère pour lui dire que je dors ici cette nuit. On aura tout le temps de trouver.

De son côté, Thea appela Eric pour s'assurer qu'il allait bien. Maintenant qu'elle savait qu'un esprit fou errait dans la nature, elle s'inquiétait pour lui.

– Et toi ? s'enquit-il. Je m'en veux tellement de t'avoir emmenée là-bas. J'avais envie... enfin, j'aimerais bien qu'on se voie à peu près tranquillement sans qu'il arrive aussitôt une catastrophe.

– Moi aussi, murmura-t-elle le cœur serré.

– On pourrait se retrouver demain, si tu veux.

– Ça m'irait très bien.

Elle n'osa poursuivre la discussion en présence de Dani. Le risque était trop grand de laisser deviner ses sentiments rien qu'en lui parlant.

*
* *

En entrant dans l'atelier, Thea remarqua tout de suite que Blaise avait emporté le bijou qu'elle fabriquait.

Elle ne tarderait donc pas à le terminer.

– Je commence par là, annonça Dani devant la bibliothèque du fond. Certains volumes m'ont l'air vraiment vieux.

Thea attaqua le casier voisin. On y trouvait des livres de toutes sortes, reliés de cuir ou de carton, de tissu ou de daim, ou pas reliés du tout. Certains étaient imprimés, d'autres, manuscrits, parfois avec des enluminures. Thea n'aurait même pas su toujours dire dans quelle langue ils étaient écrits.

Le premier rayon ne donna pas grand-chose, à part un sort intéressant intitulé : « Comment fabriquer un élixir d'aversion qui fonctionne presque aussi bien, ou peut-être un peu moins bien que les élixirs traditionnels de haine ou de détestation, mais revient beaucoup moins cher que l'élixir d'anathème utilisé par les princes et les membres de la noblesse, et dure remarquablement longtemps ».

Mmmmouais...

Thea mit ce livre de côté. Elle allait attaquer l'étagère suivante, quand Dani s'exclama :

– Hé ! J'ai trouvé votre arbre généalogique.

– Oui, je le connais. Il ne nous rattache pas du tout à Hellewise, mais bon.

– C'est qui, ce type ? Hunter Redfern. Je croyais que les Redfern étaient des vampires de haute lignée.

– Une famille lamie. Ça fait une grosse différence, parce que les nouveaux vampires ne peuvent pas avoir d'enfants.

– Mais que fait un lamie dans votre arbre généalogique ?

– C'est celui qui a procédé à une espèce de cérémonie avec Maeve Harman, au XVIIe siècle. Elle était alors le chef de famille des humains. Et on descend tous de leur fille, Roseclear.

– Elle a fait ça avec un vampire ? Ça craint.

– C'était le meilleur moyen d'empêcher leurs familles de se battre. Voilà pourquoi les Harman ont désormais un peu de sang vampire.

– Bon, maintenant je ferai attention quand tu regarderas d'un peu trop près ma gorge. Tiens, on dirait que Blaise et toi êtes les dernières représentantes de la branche féminine.

– Oui. Les dernières femmes de la Terre.

– Sacrée responsabilité !

Exactement ce qu'avait dit mamie. Thea en avait assez de cet arbre généalogique.

– Bon, si on continuait nos recherches ?

Plusieurs heures s'écoulèrent ainsi, avant que Dani ne s'écrie :

– J'y suis !

– Quoi ?

Thea vint s'asseoir auprès d'elle. Le livre sur les genoux de Dani était relié de vert, avec une couverture ornée d'un croissant de lune et de trois étoiles, un des symboles du Night World pour les sorcières.

– C'est un recueil d'histoires amusantes et apparemment véridiques. Celle-ci parle d'un certain Walstan Harman, au XVIIe siècle. À sa mort, il n'est pas passé de l'autre côté ; il revenait la nuit pour jouer des tours aux vivants, par exemple en leur apparaissant la tête sous le bras. Il ne restait jamais longtemps au même endroit, pour ne pas se faire attraper.

– Alors, comment est-ce qu'on l'a retrouvé ?

Dani lui décocha un sourire triomphant :

– On ne l'a pas retrouvé ! On lui a tendu un piège.

Thea se frappa le front.

– Évidemment, que je suis bête ! Mais comment ?

L'index de Dani courait sur la page :

– D'abord, il a fallu attendre Samhain, l'époque où le voile entre les deux mondes est le plus mince. Ensuite, Nicholas Harman a fait préparer une grande fête, une gigantesque table avec tous les mets favoris de Walstan. Dont des tourtes de maïs à la viande d'ours et au potiron. Tiens, il y a même la recette. Beurk !

– Laisse tomber. Ça a marché ?

– On dirait. La table a été dressée dans une pièce vide qu'on avait entourée d'un cercle. Attiré par la nourriture, Walstan n'a pas pu résister à l'envie de venir voir, même s'il ne pouvait pas manger. Quand il s'est trouvé devant, les portes se sont ouvertes et tous se sont jetés sur lui.

– « Et là, par le chemin étroit, ils l'envoyèrent dans le vide infini », lut Thea par-dessus l'épaule de Dani.

Le récit paraissait authentique. Seul celui qui avait assisté à une invocation suivie d'un renvoi pouvait connaître de tels termes.

– Maintenant, on sait comment s'y prendre, reprit Dani. On attend Halloween, et puis on lui tend un piège. Il suffit de trouver comment l'attirer…

– Ou la repousser, coupa Thea, prise d'une idée subite.

Les deux filles se regardèrent.

– Comme le décor de l'ancien gymnase, souffla Dani. Quelque chose qui lui rappelle ce qu'on lui a fait.

– Oui, sauf que...

Thea s'interrompit. Elle préférait ne pas confesser les pensées qui lui passaient maintenant par l'esprit. Peut-être que les humains préparaient déjà Halloween, fête qui ne pouvait qu'attirer Suzanne. Si la police rouvrait l'ancien gymnase, la soirée remporterait un succès sans précédent. Tous ces stands horrifiques...

Donc, si je voulais l'attirer ailleurs, il faudrait que je trouve pire, quelque chose qui lui rappelle encore plus ce qui lui est arrivé. Il va me falloir un appât, quelqu'un qu'elle voudra tuer. Un humain. Quelqu'un qui travaille avec moi, qui accepterait...

Pas Eric...

Elle interrompit ses pensées, de peur qu'elles ne l'emmènent là où elle ne voulait surtout pas aller... Elle en avait les mains glacées, le cœur qui battait au ralenti.

Non. Pas Eric, quoi qu'il arrive. Même pas pour sauver des vies.

Elle repoussa cette idée. Il y avait forcément une autre solution, et elle la découvrirait. Elle avait le temps...

– Thea ? Tu es toujours avec moi ?

– Oui, j'étais en train de mettre au point… Écoute, je viens d'avoir une idée… Il y a des chances pour que Suzanne erre toujours dans les parages de l'ancien gymnase. Tant que la porte restera fermée, personne ne s'y rendra et la sorcière ne pourra donc atteindre personne.

– Je l'espère bien. Bon, je comprends qu'elle soit en pétard, mais personne ne mérite de mourir comme Kevin. Même pas un humain.

Tard dans la nuit, alors que Dani dormait paisiblement dans le lit de Blaise, Thea gardait les yeux ouverts sur la faible lueur qui passait au travers des rideaux.

Elle n'était pas seulement tourmentée par l'image du cadavre de Kevin. Son esprit revenait sans cesse à ce que Dani et mamie avaient dit à propos de ses responsabilités.

Même si je renvoie Suzanne, même si mamie s'en tire bien, même si j'empêche Blaise de tuer Eric… où est-ce que ça me situe ?

Je ne suis qu'une sorcière parjure. Il n'y a pas d'avenir possible pour Eric et moi… sauf si on s'enfuit. Ce qui l'obligerait à quitter sa famille pour toujours… ce qui ferait de nous des fugitifs à jamais pourchassés, où qu'on aille ; et de moi une traîtresse dans le monde des femmes de la Terre et dans le Night World.

Une dernière pensée émergea encore avant qu'elle ne force sa conscience à sombrer dans l'obscurité :

Personne ne sortira de cette histoire intact.

Le lendemain, Thea était en retard au lycée. Elle eut toutes les peines du monde à trouver Blaise. En fait, avec Dani, il leur fallut attendre midi pour tomber sur les sorcières du Cercle de minuit, dans l'avant-cour du lycée.

– Montre-nous, disait Selene. Rien qu'une fois.

– Je voudrais d'abord faire un essai, répondit Blaise avec une évidente fausse modestie.

Ignorant ostensiblement Thea et Dani, elle avala une gorgée de thé glacé.

– Comment va mamie ? l'apostropha sa cousine sans se démonter.

– Mieux, et ce n'est pas grâce à toi. Tu n'as même pas téléphoné, ce matin.

– Je ne me suis pas réveillée.

À cause d'un terrible cauchemar, plein de victimes d'étranglement.

– On s'est couchées tard, expliqua Dani. Thea n'y est pour rien.

– Ta grand-mère va très bien, assura gentiment Vivienne. Elle a juste besoin de se reposer un peu. Maman va peut-être la garder quelques jours. Tu sais, ça fait du bien de dormir.

Thea se sentit soulagée, malgré tout. La bonne santé de mamie lui ôtait un grand souci.

– Merci, Viv, et remercie ta maman pour moi.

Haussant un sourcil, Blaise laissa échapper un soupir dubitatif et, la main sur le menton, répéta en détournant les yeux :

– Je voudrais d'abord faire un essai...

Elle n'était pas habillée comme d'habitude. Elle portait une veste de soie bronze à haut col, fermée jusqu'au cou. Thea eut un mauvais pressentiment.

– Qu'est-ce que tu voudrais essayer ? demanda Dani.

– Reste avec moi, et tu verras, répondit Blaise avec un petit sourire. Tiens, voilà justement la personne qu'il me faut ! Selene, tu peux lui demander de venir ?

Cette dernière se leva et se dirigea vers le garçon désigné.

Thea le reconnut : Luke Price, un garçon qui conduisait une superbe Maserati rouge, dans le genre voyou hollywoodien savamment mal rasé et négligé, l'œil bleu électrique. L'air vaguement surpris, il suivit Selene.

– Ça va, Luke ? lança Blaise.

– Bien. Pourquoi, qu'est-ce que tu veux ?

Il posa sur elle ce regard qu'il savait irrésistible, ce qui parut l'amuser.

– Rien que je puisse obtenir… Enfin, si.

Elle parut elle-même s'étonner de ce qu'elle osait dire :

– Voilà, je voudrais te parler, et…

Penchant légèrement la tête, elle ajouta :

– Et je voudrais aussi les clefs de ta voiture.

Luke partit d'un rire tonitruant. La hanche appuyée contre la rampe de l'escalier, il sortit du bout des doigts une cigarette de sa poche.

– Tu es folle, articula-t-il.

Dani toussa en recevant sa fumée dans la figure. Sa bouteille d'eau à la main, Thea se détourna.

Blaise fit la grimace :

– Éteins ça, c'est dégoûtant.

Luke lui souffla dans le visage :

– Si tu as quelque chose à dire, dis-le. Ne me fais pas perdre mon temps.

Elle sourit, effleura la fermeture Éclair de sa veste.

– Ça t'intéresse de savoir ce qu'il y a dessous ?

Il ne put s'empêcher de suivre son mouvement des yeux.

– Pourquoi pas ? Montre-moi ça.

– Tu veux voir ? Tu es sûr ?

Jouant avec sa bouteille, Thea prit un air excédé.

Quant à Luke, il commençait carrément à loucher, laissant échapper la fumée de sa bouche.

– Tu joues à quoi, là ?

Blaise descendit lentement sa fermeture Éclair.

Le collier apparut contre la peau blanche de sa gorge, mis en valeur par le simple col de son chemisier noir. Exactement comme Thea l'avait imaginé.

Délicat, exquis, magique. Des vagues d'étoiles et de lunes qui s'entrecroisaient en formant des mouvements ravissants autour de gemmes de toutes sortes, grenat vert, topaze impériale, aventurine, cinabre[1], saphir violet, émeraude africaine, quartz enfumé...

Il semblait animé d'une vie propre, dansant, flottant sur son cou, attirant les esprits au cœur de son mystère, s'infiltrant autour des âmes tels des cheveux d'ange, emballant l'imagination...

Thea dut s'arracher à cette vision d'un mouvement brusque, se cacher les yeux derrière sa main.

Et si ça me fait cet effet à moi...

Luke semblait fasciné. Son attitude s'était transformée du tout au tout sous l'effet du sortilège. Tel un comédien, il passa du voyou au petit garçon vulnérable. Sa mâchoire se desserra, sa bouche se détendit, les muscles de ses yeux se relâchèrent et son regard perdit

1. Cristallisation rouge de sulfure de mercure.

toute sa dureté. Il parut d'abord surpris, puis carrément vulnérable. Ouvert. Les iris bleu électrique dansaient autour de ses pupilles élargies. Il aspira une bouffée d'air, comme s'il n'arrivait plus à respirer. D'abord stupéfait, hypnotisé puis exalté...

Envoûté.

Métamorphosé. Son corps donnait l'impression d'avoir rapetissé, la bouche bée, le regard empli de lumière, comme sur le point de tomber en adoration devant Blaise.

Celle-ci se tenait comme une reine sur son trône, ses cheveux sombres éparpillés autour de son collier, sa poitrine régulièrement soulevée par son souffle, les yeux brillants, telles des pierres précieuses.

– Jette-moi cette cigarette dégoûtante, ordonna-t-elle.

Luke obéit, écrasant le mégot comme s'il s'agissait d'une araignée.

– Comme tu... tu es belle ! balbutia-t-il en tendant la main.

– Arrête ! s'écria-t-elle, l'air navré. D'abord, il faut que je te raconte une histoire triste. J'avais un petit chien que j'aimais, un cocker que je promenais tous les soirs.

Thea fit la grimace. Jamais elle n'avait entendu un tel mensonge. Et d'abord, pourquoi Blaise parlait-elle de chien ?

– Mais il a été écrasé par un camion. Et depuis, je me sens si seule… il me manque tellement. Luke… tu veux bien me servir de petit chien ?

Il ne parut pas comprendre.

– Tu vois, poursuivit Blaise en glissant une main dans sa poche, si j'avais quelqu'un pour me le rappeler, ça irait déjà beaucoup mieux. Alors, si tu acceptais de porter ceci…

Elle lui tendait un collier de chien bleu. Beaucoup trop grand pour un cocker.

Luke parut encore plus décontenancé. Le rouge lui monta au cou et aux joues, ses yeux s'emplirent de larmes.

– Pour moi, insista Blaise. Ça me ferait tellement plaisir !

Il semblait partagé par un énorme conflit interne et déglutit, comme si cela pouvait empêcher les muscles de sa mâchoire de tressauter.

Pourtant, il finit par tendre la main vers le collier de chien d'un geste pesant. Blaise baissa le bras. Il le suivit, finit par s'agenouiller devant elle, tétanisé ; alors, elle le lui referma autour du cou.

Dès qu'elle eut fini, elle éclata de rire, jeta un coup d'œil aux autres filles, en agitant l'anneau qui devait recevoir la laisse.

– Bon garçon ! dit-elle en lui caressant la tête.

L'expression de Luke s'illumina d'un sourire extasié.

– Je t'aime, articula-t-il d'une voix rauque.

Elle partit d'un nouvel éclat de rire, puis remonta la fermeture de sa veste.

Le changement d'attitude de Luke fut encore plus prompt que la première fois. Un court instant, sa physionomie n'exprima plus rien, puis il regarda autour de lui, comme s'il s'éveillait soudain.

Ses doigts s'accrochèrent au collier de chien et son visage se figea d'horreur et de rage, alors qu'il se levait d'un bond.

– Qu'est-ce qui se passe ? Qu'est-ce que j'ai fait ?

Blaise le dévisageait d'un air impassible.

Il arracha son collier, le jeta à terre. Pourtant, il ne semblait en rien se rappeler ce qui venait d'arriver.

– Tu... tu vas me dire ce que tu veux, oui ou non ? cracha-t-il d'une voix tremblante. Parce que je ne vais pas attendre toute la journée.

Constatant que personne ne lui répondait, il s'en alla à longues enjambées irritées. Les ricanements de ses copains se répercutaient à travers la cour.

– Zut ! marmonna Blaise. J'ai oublié les clefs de sa voiture. Mais je vous avais dit que ça marcherait.

– Je trouve ça effrayant, commenta Dani.

– Moi, je trouve ça incroyable, dit Selene.

– Invraisemblable, renchérit Vivienne.

Et moi, songea Thea, *j'y vois l'Armaggedon des accessoires magiques. En plus, je suis certaine maintenant que ni Vivienne ni Selene ne changeront d'attitude. Bien sûr, elles ont été choquées par ce qui est arrivé à Randy et à Kevin, mais ça n'a pas duré.*

– Blaise, lança-t-elle brusquement, si tu te promènes à travers le lycée avec ça, tu vas provoquer une émeute.

– Mais je n'ai pas l'intention de montrer ça à d'autres gens ! assura Blaise. Il n'y a qu'un type qui m'intéresse pour le moment. Et ce collier contient son sang. Si ça marche si bien sur les autres, je me demande ce que ça va faire sur lui !

Thea prit plusieurs longues inspirations pour se détendre. Jamais elle n'avait affronté Blaise en matière de magie. Et personne n'avait jamais défié sa cousine pour un garçon.

Mais elle n'avait pas le choix... et cela ne servait à rien de reporter à plus tard.

– Je suppose que tu as l'intention de lui tendre un piège à un moment où je ne serai pas là, bien sûr.

Cela marcha. Blaise se leva, impériale dans sa veste bronze, les mains dans les poches, les cheveux en cascade derrière elle.

– Pas besoin de tendre un piège, lâcha-t-elle avec un sourire arrogant. En fait… tiens, si tu nous organisais une rencontre après les cours ? Rien que nous trois. Toi, Eric et moi… Un duel, si tu veux. Et que la meilleure gagne !

11

– Je ne comprends pas, dit Eric d'un ton pitoyable, tandis que Thea l'entraînait vers les gradins.

– Je veux bien le croire.

– Blaise demande à me parler en tête à tête, et toi tu es d'accord ?

– Tout à fait.

Elle n'aurait pas cru qu'on pouvait prendre un ton à la fois jovial et morne.

– Je t'avais dit qu'elle allait sans doute te courir après…

– Et aussi de me méfier d'elle. Tu as bien insisté.

– Je sais. Seulement…

Étreignant sa bouteille d'eau, elle chercha une explication qui ne ressemblât pas trop à un mensonge. Pas besoin de lui demander s'il avait gardé le talisman protecteur sur lui… elle sentait le parfum des aiguilles de pin fraîches.

– Seulement, je crois qu'il vaut mieux régler ça une fois pour toutes, ajouta-t-elle enfin. D'une façon ou d'une autre. Alors, peut-être que si tu lui parles en face... Enfin tu peux refuser, et on laisserait tomber.

– Thea... je ne sais pas ce que tu as derrière la tête, mais je n'ai pas besoin de discuter avec Blaise pour savoir ce que moi je cherche.

Il posa doucement les mains sur ses bras :

– Elle peut dire ce qu'elle veut, ajouta-t-il. Ça ne changera rien.

Il avait l'air si sûr de lui, comme si les choses allaient de soi !

– Tu n'as qu'à le lui annoncer toi-même, suggéra-t-elle d'un ton faussement guilleret. Et comme ça, tout sera réglé.

Secouant la tête, l'air incrédule, Eric se laissa néanmoins conduire vers Blaise.

Celle-ci se trouvait alors du côté du terrain de baseball. À trois mètres d'elle, Thea s'arrêta et fit signe à Eric de continuer. En le voyant arriver, Blaise se redressa avec la grâce sinueuse d'un serpent.

– Ta cousine m'a dit que tu voulais me parler, énonça-t-il froidement.

– C'est vrai, articula-t-elle de sa voix de velours.

À la surprise de Thea, pourtant, elle baissa la tête, comme intimidée.

– Seulement voilà, murmura-t-elle. Enfin... ça me gêne un peu, parce que je sais ce que tu vas penser de moi... si je te demande des trucs devant ta copine...

Il jeta un coup d'œil en coin vers Thea, avant de répondre :

– Vas-y, c'est bon. De toute façon, il vaut mieux se parler devant elle que derrière son dos.

– Tu as raison.

Blaise poussa un long soupir, comme si elle prenait son courage à deux mains, puis leva les yeux sur Eric.

Qu'est-ce qu'elle fiche ?

– Eric... je ne sais pas comment te dire ça, mais... enfin, voilà, tu m'intéresses. Je dois avoir l'air complètement nulle. Tu dois croire que je peux avoir tous les mecs que je veux, et que vu la façon dont je les traite, ils ne m'intéressent pas. Alors, si tu décides de me planter là, je ne t'en voudrai pas.

Elle disait cela en jouant avec le bout de sa fermeture Éclair.

– Arrête, je ne vais pas te planter là comme ça ! assura-t-il doucement.

– Merci. Tu es trop gentil... je ne te mérite pas.

D'un geste machinal, comme si elle pensait à autre chose, elle fit descendre sa fermeture Éclair, dégageant son collier.

Ne le regarde pas, se dit Thea en détournant les yeux vers la nuque blonde d'Eric... qui sembla soudain se figer.

Blaise poursuivait son discours d'un ton de plus en plus doux, à la fois envoûtant et fragile :

– Ça va te paraître étrange, mais en général les garçons ne m'aiment pas vraiment. Ils me désirent, c'est tout. Ils s'arrêtent à la surface des choses, ils ne veulent pas voir plus loin. Alors, parfois... je me sens si seule !

Du coin de l'œil, Thea voyait danser les étoiles et les croissants de lune. Des effluves de racine de Iemanja et d'autres parfums tout aussi exquis lui parvenaient aux narines. Elle ne les avait pas tout de suite remarqués, tant elle se concentrait sur le sortilège du collier. Une sonorité légère vibrait dans l'air, deux ou trois notes suraiguës, à peine audibles.

Les cristaux musicaux. Bien sûr. Blaise s'en prenait à tous les sens, tant qu'à faire ; elle tressait autour de vous une irrésistible toile d'or... et dire que le sang d'Eric y était mêlé...

– Et j'ai toujours rêvé d'un garçon qui tienne assez à moi pour creuser un peu plus profond que la surface. Alors... enfin, avant de savoir que Thea t'avait repéré, j'ai cru que tu pourrais être ce garçon. S'il te plaît, Eric, dis-moi... c'est totalement impossible ? Je ferais mieux d'abandonner ? Parce que si tu me le dis, je laisserai tomber.

Il se tenait bizarrement, comme s'il était estropié. Il respirait plus vite. Thea préférait ne pas voir l'expression de son visage... qui ne devait que trop ressembler à celle de Luke : cet étonnement subitement métamorphosé en adulation.

– Dis-moi, répétait Blaise avec des gestes théâtraux. Si tu réponds non, je ne t'en parlerai plus jamais. Mais si... si tu crois que ça pourrait encore marcher entre nous... Rien qu'un petit peu...

Elle accompagnait ses paroles d'un regard lumineux.

– Je... lâcha Eric d'une voix épaisse. Je... Blaise...

Il semblait incapable de former une phrase.

Pas étonnant. Il est déjà fichu.

Rongée par l'inquiétude, Thea serrait sa bouteille contre son cœur. Son petit élixir d'aversion n'avait aucune chance contre les sortilèges de Blaise. Eric semblait déjà complètement subjugué.

On pouvait difficilement le lui reprocher. Impossible de résister aux charmes de sa cousine, tant magiques que psychologiques, si joliment mêlés que Thea elle-même en venait presque à la croire.

Pourtant, elle ne regrettait pas d'avoir essayé ; elle n'allait pas renoncer à Eric sans se battre. D'un seul coup, elle déboucha sa bouteille et l'agita vers lui. Quand il reçut une giclée d'eau sur la tête, il se retourna et posa ses yeux gris-vert sur une Thea pétrifiée d'effroi.

Et voilà. Il venait d'être doublement envoûté. D'abord pour aimer Blaise, ensuite pour la haïr...

Ô Ilythie, tout est fini...

Thea réagit instinctivement, l'attrapant par le bras pour le tirer de là, pour se sauver elle aussi, tant qu'elle le pouvait encore. Avec l'énergie du désespoir, elle lui envoya une pensée aussi puissante que si elle interpellait un promeneur au bord d'un ravin.

Eric.

On est connectés...

Comme en circuit fermé, elle sentit une onde lui revenir... quelque chose de doux, de magique, très loin des envoûtements de Blaise, une sorte d'éclair au ralenti. Entre Eric et elle, l'atmosphère était soudain si chargée d'électricité qu'elle crut éprouver sur la peau comme une caresse de velours.

Et tout redevint normal. Eric lui opposait sa physionomie habituelle. Vivante, expressive, chaleureuse... envers elle. Il n'avait rien d'un zombie en adoration devant Blaise.

Thea.

Non... ce serait trop beau...

Pourtant, ça l'était. Leurs deux regards se croisaient dans l'atmosphère vibrante et cristalline.

On est là tous les deux.

Un hurlement brisa cette communion silencieuse. Thea s'aperçut alors que sa cousine n'était plus à sa place.

– Je suis trempée ! criait celle-ci. Tu es folle ? Tu sais les dégâts que fait l'eau sur la soie ?

Thea ouvrit la bouche mais ne dit rien tant son soulagement était grand. Elle ignorait si Blaise savait qu'elle venait de l'arroser d'un élixir de sa composition, mais le fait était là, le sortilège de sa cousine était brisé.

Cette dernière remonta sa fermeture Éclair et s'éloigna à grands pas.

– Elle est folle... observa Eric.

– Oui, c'est ce que je t'ai dit...

Encore étourdie par cette succession d'émotions, elle prit le bras d'Eric, en partie pour garder son équilibre.

– Viens, murmura-t-elle. On s'en va.

Au bout de quelques pas, il laissa tomber :

– Heureusement que tu m'as jeté cette eau.

– Oui.

Même si l'élixir n'avait pas fonctionné, il avait au moins détourné l'attention d'Eric ou distrait Blaise, ou autre chose, n'importe quoi d'autre... Il fallait que Thea vérifie si elle ne venait pas de découvrir une formule susceptible de briser les puissants sorts de sa cousine...

– Oui, insista-t-il, parce que la situation devenait un peu spéciale. Je cherchais un moyen de lui dire qu'elle n'avait aucune une chance, mais rien ne venait. Et au moment où je me suis aperçu qu'il allait bien falloir le lui annoncer, quitte à la vexer, tu nous as arrosés.

Thea s'arrêta net, leva les yeux sur lui.

Il ne riait pas du tout.

– Enfin... je crois qu'elle était quand même vexée. Sinon, elle ne serait pas repartie aussi furieuse. Euh... et toi, tu ne m'en veux pas, au moins ? Thea ?

Elle reprit sa marche.

– Ça veut dire que tu n'as jamais eu l'intention de la suivre ? Même pas un tout petit peu ?

Cette fois, ce fut lui qui s'arrêta :

– Pourquoi veux-tu que je la suive, alors que je suis avec toi ? Je te l'ai pourtant déjà dit.

Alors nous sommes bel et bien des âmes sœurs. Ou alors, il est têtu comme une bourrique. En tout cas, je ferais mieux de ne rien dire à Blaise. Si elle découvre qu'elle a échoué lamentablement, elle voudra d'autant plus le tuer.

– De toute façon, c'est réglé maintenant, murmura-t-elle.

Cette fois, elle y croyait vraiment. Elle était trop contente pour imaginer qu'un danger encore pire pouvait la menacer.

– C'est vrai ? Ça veut dire qu'on peut sortir ensemble, à présent ?

Il semblait soudain tellement mélancolique qu'elle éclata de rire. Elle se sentait légère, débordante d'énergie.

– Oui, on peut sortir... ou plutôt rentrer. Chez toi, je veux dire. J'ai envie de revoir ta sœur et Madame Curie.

Eric fit la grimace.

– Bon, ça ferait peut-être plaisir à Madame Curie, mais Roz a perdu son procès contre les randonneurs du lycée. Elle ne pourra pas aller camper avec les garçons.

– Raison de plus pour aller la voir. Pauvre petite !

Eric lui jeta un regard interrogateur :

– Tu plaisantes ? On peut aller n'importe où à Las Vegas, et toi, tu choisis ma maison ?

– Et alors ?

Elle préféra ne pas expliquer qu'à ses yeux une maison d'humains paraissait des plus exotiques.

Elle était heureuse.

*

* *

C'était une modeste demeure, entourée de deux grands arbres qui changeaient des sempiternels palmiers. Thea se sentait un rien intimidée en y pénétrant.

– Maman n'est pas rentrée du travail, annonça Eric en regardant sa montre. Et ma sœur ne doit pas sortir de sa chambre avant dix-sept heures. Elle est punie. Ce matin, elle a passé sa poupée Barbie au micro-ondes.

La porte de Rosamund était tapissée d'avertissements : « DÉFENSE D'ENTRER, MÊME POUR ERIC. » « LE FÉMINISME EST LA NOTION RADICALE FAISANT DES FEMMES DES ÊTRES HUMAINS. »

Quand il l'ouvrit, Eric se pencha juste à temps pour esquiver une tirelire qui poursuivit son chemin contre le mur, sur lequel, curieusement, elle ne se brisa pas.

– Ros...

– Je déteste tout le monde et tout le monde me déteste !

Un livre suivit le même chemin.

Eric referma vivement la porte. *Bang !*

– On ne te déteste pas ! cria-t-il de l'autre côté.

– Rien à fiche, barre-toi !

Bang ! Bang ! Crac !

– Bon, conclut Eric philosophe, il vaut mieux la laisser tranquille. Elle a parfois ses humeurs. Tu veux voir ma chambre ?

Thea la trouva jolie. Beaucoup de livres, dont certains sentaient le moisi.

– Je les achète d'occasion.

Anatomie comparée des vertébrés. Développement des structures du porc fœtal. Le Poney rouge[1].

Sous une forme ou sous une autre, ils parlaient à peu près tous d'animaux.

Et de nombreux trophées de base-ball ou de basket, quelques-uns de tennis.

– Je dois parfois choisir entre le tennis et le base-ball.

Les équipements traînaient partout, au milieu des livres et des chaussettes sales.

Finalement, ça ressemble à toutes les chambres d'ados du Night World. Je suis chez une personne normale.

Sur le bureau trônait la photo d'un homme aux cheveux blond vénitien et au large sourire, comme celui d'Eric.

– Qui est-ce ?

– Mon père. Il est mort quand Roz était encore toute petite... un accident d'avion. Il était pilote.

Eric avait dit cela en toute simplicité, mais son regard s'était assombri.

– Mes parents sont morts quand j'étais petite, répondit doucement Thea. Le plus triste, c'est que je ne m'en rappelle pas bien.

Il ne quittait pas la photo des yeux.

1. Roman de John Steinbeck.

– Tu sais, je n'y avais jamais pensé comme ça, mais je suis content de pouvoir me souvenir de lui. Au moins, j'aurai pu un peu profiter de sa présence.

Tous deux échangèrent un sourire.

Près du lit, un aquarium émit un bruit de cafetière. Thea s'en approcha pour observer le poisson bleu électrique qui évoluait à l'intérieur. Elle éteignit la lampe de chevet, afin de mieux profiter de l'éclairage de l'aquarium.

– Ça te plaît ?

– Tout me plaît, assura-t-elle. Tout.

Eric parut apprécier la réponse. Après un coup d'œil sur le lit où s'était assise Thea, il prit place sur le bureau, laissa tomber une pile de papiers.

Elle se mit à rire :

– C'est ça, ton dossier d'inscription à Davis ?

– Oui. Tu veux voir ?

Elle faillit dire oui, tant elle était de bonne humeur, prête à tout trouver bien. Mais un court instant de réflexion lui permit de se reprendre. Il ne s'agissait pas de brûler les étapes.

– Pas pour le moment, merci.

– Ah bon... Tu sais que tu peux encore envisager de t'inscrire au cours de zoologie du lycée ? Madame Gasparro est une prof géniale. Je suis sûr que tu adorerais son cours.

Et si j'essayais ? Ça ne ferait de mal à personne.

– En plus, le Dr Salinger cherche toujours des assistants pour sa clinique. Ça ne paie pas bien, mais ce serait une bonne expérience pour toi.

Ça non plus, ça ne ferait de mal à personne. Je n'enfreindrais aucun règlement. Je n'aurais pas non plus besoin de faire appel à un quelconque pouvoir. Je me sentirais juste plus proche des animaux.

– Je vais y réfléchir.

Elle avait parlé d'une voix volontairement neutre. Face à elle, Eric s'était appuyé les coudes sur les genoux, pour la dévisager de plus près.

– Merci, ajouta-t-elle.

– Merci pour quoi ?

– Tu... veux toujours m'aider. Tu m'aimes bien.

La lumière bleutée de l'aquarium se projetait sur les murs et sur le plafond, donnant à toute la pièce un petit air de monde sous-marin.

Fermant les paupières, Eric murmura :

– Plus que bien, crois-moi.

Puis il la regarda fixement.

On est encore connectés. C'était comme une attirance irrésistible de l'un vers l'autre. Aussi exquise qu'effrayante.

Il se releva lentement, vint s'asseoir à côté d'elle. Ni l'un ni l'autre ne détourna les yeux.

Alors, les choses parurent s'enchaîner le plus naturellement du monde. Leurs doigts s'entrelacèrent. Il baissa la tête, elle la leva. Ils se tenaient si près l'un de l'autre que leurs souffles se mêlaient. Thea frissonna.

Elle se sentait comme enveloppée d'une brume dorée.

Crac !

Ce coup qui venait de heurter l'autre paroi du mur...

– Laisse tomber, ce sont les esprits frappeurs, souffla Eric.

Ses lèvres s'étaient approchées à quelques centimètres des siennes.

– C'est Rosamund, rétorqua Thea à mi-voix. Ça ne va pas très bien pour elle, on devrait aller la voir.

Elle était tellement heureuse qu'elle voulait que tout le monde le soit autour d'elle.

– Thea... geignit Eric.

– Je vais juste voir si je peux la consoler.

D'un geste las, il ralluma la lampe.

– C'est bon, marmonna-t-il avec un sourire triste. De toute façon, il faut que j'arrose les plantes de maman et que je nourrisse les lapins. Tu me diras quand tu en auras fini avec ma sœur. Je t'attendrai.

Thea frappa et entra sans attendre de réponse.

– Roz ? Je peux te parler une minute ?

– D'abord, ne m'appelle pas comme ça, appelle-moi Fred.

– Ah bon, pourquoi ?

Elle s'assit sur le lit, ou plutôt sur le sommier, car le matelas gisait au sol, à moitié replié contre un mur. Toute la pièce semblait avoir été frappée par un ouragan suivi d'un tremblement de terre, et cela sentait le cochon d'Inde.

Lentement, une tête rousse se leva du matelas, des yeux verts la fixèrent.

– Parce que, énonça Rosamund, je ne suis plus une fille. C'est toujours pareil, pour les filles, elles n'ont aucune chance et ça ne changera pas. Alors, pas de baratin sur les femmes qui entendent mieux dans les sous-marins et qui bénéficient d'une meilleure motricité que les hommes, parce que j'en ai rien à cirer. À partir de maintenant, je suis un garçon.

– En tout cas, tu es intelligente.

Au point que Thea ne pouvait cacher son admiration, ni son attendrissement.

– Seulement tu devrais apprendre tes leçons d'histoire. Les choses ont beaucoup changé. Il fut un temps où les femmes et les hommes étaient égaux.

– Quand ?

– Déjà dans la Crète ancienne. Ils étaient tous des enfants d'Ilythie la grande déesse, et les garçons aussi bien que les filles affrontaient les mêmes dangers, par exemple en apprenant à monter des taureaux sauvages. Et puis, bien sûr…

Elle s'interrompit, frappée par une idée :

– Et puis les Grecs ont envahi le pays.

– Hé ouais !

– Mais, attends... Tiens, chez les anciens Celtes aussi ça se passait bien, jusqu'à ce que les Romains les envahissent également. Et... et...

– C'est bien ce que je disais. Ça se termine toujours de la même façon. Casse-toi, maintenant !

– Écoute...

Thea hésita. Sans doute à cause de sa joie, de cette enivrante impression que le monde tournait rond. Elle se sentait soudain si sûre d'elle, si sûre que les lois du Night World ne constituaient qu'un minuscule obstacle facile à surmonter...

Arrête, lui soufflait une petite voix. *Ne fais pas ça, tu vas le regretter.*

Mais Rosamund était si malheureuse ! Et cette lueur dorée qui régnait encore au-dessus de leurs têtes... donnant à Thea l'impression d'être protégée, invulnérable.

– Écoute, reprit-elle. Je ne sais pas si ça t'aidera beaucoup, mais je vais te raconter une histoire qui me rassurait toujours quand j'étais petite. Seulement, tu vas devoir garder le secret.

Les yeux verts de la gamine brillèrent d'un soudain intérêt.

– Une histoire vraie ?

– Ça, je ne peux pas te le jurer…

C'est pourtant vrai, mais je n'ai pas le droit de te le dire.

– En tout cas, elle est intéressante. Elle remonte à une époque où les femmes dirigeaient le monde. Il s'agit d'une fille appelée Hellewise.

12

Thea changea de position. Ce sommier n'était pas follement confortable.

– Bon, ça se passait en un temps où la magie existait encore, d'accord ? Et Hellewise possédait des pouvoirs magiques, ainsi d'ailleurs que la plupart des gens de sa tribu. C'était la fille d'Hécate, la reine des sorcières…

Rosamund parut de plus en plus intriguée :

– C'était une sorcière ?

– Sauf qu'à l'époque, on ne les appelait pas comme ça. On disait des « femmes de la Terre ». Elle ne ressemblait pas du tout à une vieille sorcière de Halloween. Elle était belle, grande, avec de longs cheveux blonds…

– Comme toi.

– Hein ? Oh !

Thea sourit, puis :

– Merci, mais non. Hellewise était vraiment belle, et aussi intelligente et forte. À la mort d'Hécate, elle est devenue l'un des deux chefs de la tribu. L'autre était sa sœur, Maya.

Rosamund s'était complètement redressée et buvait ses paroles.

– Et Maya, continuait Thea, était elle aussi très belle : grande, mais avec de longs cheveux noirs.

– Comme la fille qui est venue te chercher chez le vétérinaire.

Thea en resta bouche bée. Elle avait oublié que Rosamund avait vu Blaise.

– Euh... oui, peut-être un peu. Enfin, voilà, Maya était intelligente et forte, mais elle n'avait aucune envie de partager le pouvoir avec Hellewise. Elle voulait commander seule. Et elle désirait autre chose aussi, vivre éternellement.

– Ça se comprend, grommela Rosamund.

– D'accord, tout le monde a le droit de rêver d'immortalité, je veux bien. Mais ça dépend du prix à payer, tu ne crois pas ?

– Non.

– Attends...

N'importe quelle créature de la nuit aurait immédiatement compris de quoi elle voulait parler, même si par un hasard invraisemblable elle n'avait jamais entendu cette histoire. Mais, bien sûr, c'était différent pour les humains.

– Il faut voir ce qu'elle devait donner en échange. Aucun sortilège ordinaire ne pouvait suffire à la rendre immortelle. Elle a tout essayé, et même avec l'aide d'Hellewise. En fin de compte, elles ont trouvé quel rituel il fallait pratiquer ; seulement, Hellewise a refusé.

– Pourquoi ?

– Parce que c'était trop terrible. Ne me demande pas de quoi il s'agissait. Ce n'est pas un sujet pour les enfants.

– Quoi ? Si tu me le dis pas, je vais imaginer le pire.

– Ça avait rapport aux bébés, soupira Thea. Et au sang. Mais ce n'est pas là que je voulais en venir…

– Elles tuaient des bébés ?

– Pas Hellewise, mais Maya, oui. Sa sœur voulait l'en empêcher, mais…

– Je parie qu'elle buvait leur sang.

Thea l'interrogea du regard. Les enfants humains étaient ignorants, mais pas idiots.

– Bon, c'est vrai, elle buvait du sang. Satisfaite ?

Rosamund hocha la tête en souriant, puis s'installa pour mieux écouter.

– Bien, reprit Thea. Ainsi, Maya est donc devenue immortelle. Pourtant, elle ignorait encore le prix qu'elle aurait à payer. Elle allait vivre éternellement tant qu'elle boirait chaque jour le sang d'un mortel. Sinon, elle mourrait.

– Comme un vampire, dit Rosamund avec délice.

Un court instant, Thea en resta coite, puis se moqua mentalement d'elle-même. Bien sûr, les humains connaissaient l'existence des vampires autant que des sorcières, et des légendes idiotes entretenaient leurs idées fausses.

Finalement, Thea pourrait raconter sa propre histoire sans risquer d'être crue.

– Comme un vampire, acquiesça-t-elle. En fait, Maya a été le premier de tous les vampires. Et ses enfants après elle, objets de la même malédiction.

– Les vampires ne peuvent pas avoir d'enfants, ricana Rosamund.

– Sauf les descendants de Maya.

Thea n'allait tout de même pas prononcer le mot « lamies » devant une humaine !

– Il n'y a que ceux qui sont devenus vampires à la suite d'une morsure qui ne le peuvent pas, expliqua-t-elle. Maya avait eu un fils, Red Fern, ce qui ne l'empêchait pas de mordre les gens. C'est justement ça, l'histoire. Maya voulait que tout le monde soit comme elle. Alors, elle a commencé à mordre les membres de sa tribu. Jusqu'à ce qu'Hellewise décide de tout arrêter.

– Comment ?

– C'était justement ça, la question. La tribu voulait se débarrasser de Maya et des autres vampires, mais

Hellewise savait que s'ils engageaient le combat, ils seraient tous battus. Des deux côtés. Alors, elle a provoqué sa sœur en duel.

Rosamund repoussa le matelas d'un coup sec.

– Tiens, j'en ferais bien autant avec Monsieur Hendries, le chef des randonneurs du lycée.

Et elle attaqua le matelas à coups de poing et coups de pied.

– Moi aussi, je gagnerais. Il est trop vieux.

– Sauf qu'Hellewise n'avait aucune envie de se battre, mais elle y était obligée. Elle avait peur, parce qu'en devenant vampire, Maya avait acquis une puissance énorme.

Thea se représentait la scène, telle qu'elle l'avait imaginée depuis sa plus tendre enfance, quand on lui avait raconté cette histoire pour la première fois. Elle voyait Hellewise dans sa longue robe fourreau blanche, qui attendait Maya au cœur de la forêt ; même si elle gagnait, elle risquait d'y perdre la vie, mais cela ne l'empêchait pas de rester, prête à tout sacrifier pour son peuple et pour la paix.

Je me demande si j'aurais ce courage. J'aimerais bien, mais je n'en suis pas sûre du tout.

C'est alors que se produisit un événement étrange. Elle crut entendre une voix, non pas celle qui s'élevait souvent dans son esprit, mais une autre, impérieuse, presque accusatrice, qui posait une question… comme si elle n'y avait encore jamais répondu :

Tu es prête à tout sacrifier ?

Thea se tassa sur elle-même. Ce n'était pas souvent qu'elle entendait des voix.

Ce devait être à ça qu'Hellewise pensait.

Rosamund faisait la danse du scalp sur son matelas.

– Alors, qu'est-ce qui s'est passé ? Hé, Thea ! Qu'est-ce qui s'est passé ?

– Ah… Ce fut un combat terrible, mais Hellewise finit par gagner. Elle chassa Maya, et la tribu vécut en paix. Ils furent tous heureux, sauf… Hellewise. Elle est morte de ses blessures.

Rosamund s'arrêta net de danser.

– Et tu me racontes ça pour me changer les idées ? J'ai jamais entendu une histoire aussi débile !

Voyant son menton trembler, Thea se rappela qu'elle avait affaire à une enfant humaine. Elle ouvrit les bras comme à Bud, le chiot, ou comme à n'importe quel être vivant en état de détresse… et Rosamund s'y jeta.

– Non, non, souffla Thea en la câlinant. Tu vois, l'important, c'est son peuple, les gens qu'elle a sauvés. Ça n'a l'air de rien parce qu'il s'agissait d'une petite tribu, pourtant ils ont prospéré, ils sont devenus de plus en plus nombreux, tout en restant libres. Toutes les sorcières du monde en descendent ; elles n'ont pas oublié Hellewise et la révèrent. C'est une histoire que chaque mère devrait raconter à ses filles.

Rosamund reprit son souffle.

– Et à ses fils ?

– À ses fils aussi. Quand je dis « filles », je devrais dire « enfants ». C'était pour résumer.

– Ah oui, comme quand on dit « eux » pour « lui et elle » ?

– Voilà ! Je ne sais pas quelle est la meilleure formule, mais l'important, c'est de se rappeler que le courage d'une femme nous a rendu la liberté... enfin... à eux...

– Hé ! Tu me racontes des craques, ou c'est une histoire vraie ? Parce que franchement, je trouve que tu as l'air d'une sorcière.

– C'est ce que j'allais dire ! lança une voix amusée derrière Thea.

Celle-ci fit volte-face. La porte s'était ouverte sur une silhouette féminine grande et mince, avec des petites lunettes et de longs cheveux bruns soyeux. Son expression lui rappela l'air parfois étonné d'Eric face aux mystères de la vie.

Mais peu importait. Car avant tout, c'était une inconnue. Une étrangère.

Une humaine.

Et Thea qui avait dévoilé devant elle l'un des secrets du Night World, l'histoire des sorcières...

D'un seul coup, elle sentit ses membres flageoler et la brume dorée s'évanouit, la laissant au cœur d'une réalité grise et froide.

– Désolée, dit l'humaine d'une voix qui lui parut lointaine. Je ne voulais pas vous faire peur. Je plaisantais. J'ai trouvé cette histoire très jolie. Un joli conte pour enfants.

Cependant, Thea avait repéré un autre humain derrière la femme. Eric. Lui aussi avait écouté.

– Maman est un peu taquine, lança-t-il, comme s'il s'excusait.

Comme s'il cherchait à se connecter avec Thea.

Seulement, celle-ci n'en avait aucune envie. Impossible, avec ces gens-là. Elle était entourée d'humains, piégée dans l'une de leurs maisons. Elle se sentait comme le serpent à sonnette au milieu d'un cercle de grosses créatures armées de bâtons.

Elle fut secouée d'un sursaut de terreur.

– Vous devriez écrire, continuait la femme. Une telle créativité...

Elle avança d'un pas dans la chambre.

Thea se leva, laissant tomber Rosamund à terre. Ils venaient sur elle... jusqu'aux murs, qui semblaient se rapprocher. C'étaient des monstres cruels, sadiques, terrifiants, mauvais. C'étaient des puritains, l'Inquisition, et ils savaient qui elle était ; ils allaient l'accuser, la traiter de sorcière en pleine rue.

Elle s'enfuit.

Elle se faufila entre Eric et sa mère, tel un chat aux abois, sans les toucher ni l'un ni l'autre, dévala l'escalier, traversa le salon et passa la porte d'entrée.

Dehors, elle retrouva un ciel nuageux. De plus, la nuit tombait. Elle s'arrêta, le temps de reprendre son souffle, puis fila dans la rue en marchant aussi vite que possible

Va-t'en, va-t'en, regagne la Terre. Rentre chez toi.

Au coin de la rue, elle se remit à courir et ne se trouvait plus qu'à dix minutes de sa maison, lorsqu'elle entendit un moteur ralentir à sa hauteur. La Jeep d'Eric. Il avait amené sa mère et Rosamund.

– Thea, arrête ! Attends, s'il te plaît !

Il coupa le moteur et sortit pour la rejoindre.

Elle dut bien s'immobiliser quand il se retrouva face à elle.

– Écoute, implora-t-il à voix basse. J'aurais préféré ne pas les laisser m'accompagner. Elles ont insisté. Maman s'en voulait, Roz pleurait... je t'en prie ! Tu ne veux pas revenir ?

Lui-même semblait au bord des larmes. Thea ne savait plus que penser.

– Ça va, je vais bien, assura-t-elle. Je ne voulais pas vous mettre dans cet état.

Mais laisse-moi passer !

– Bon, on n'aurait pas dû écouter aux portes, reconnut-il. Seulement... tu es si gentille avec Rosamund. Je ne l'ai jamais vue aimer quelqu'un à ce point. Et... et... je sais que tu te fais du souci pour ta grand-mère. C'est pour ça que tu t'es affolée ? Cette légende, c'est elle qui te l'a racontée, n'est-ce pas ?

Quelque part au fond de l'esprit de Thea, une lueur brillait. Au moins croyait-il avoir affaire à une légende.

– Nous aussi, on a de ces légendes familiales, insista-t-il avec une sorte de désespoir. Mon grand-père nous répétait qu'il était un Martien et je le croyais dur comme fer. Si bien qu'à la rentrée, quand j'ai raconté ça à mes petits camarades du jardin d'enfants, ils sont passés devant lui en faisant *bip-bip* et en rigolant. Je ne savais plus où me mettre, et lui était tout gêné...

Il bavardait. Thea était maintenant assez remise de sa surprise pour se rendre compte qu'il disait n'importe quoi. Cependant, quand elle aperçut sa mère derrière lui, elle se raidit de nouveau.

– Thea, écoutez-moi, assura-t-elle d'un ton préoccupé. Nous savons tous que votre grand-mère est une très vieille dame, un peu... excentrique. Mais si elle vous fait peur, si elle vous raconte des choses par trop bizarres…

– Maman ! s'exclama Eric entre ses dents.

D'un signe de la main, elle le fit taire.

– Il ne faut pas vous en faire, d'accord ? Aucun jeune ne devrait avoir à supporter ça. Si vous cherchez un endroit où vous réfugier, si vous avez besoin de quoi que ce soit… si vous voulez vous adresser à une assistante sociale…

– Maman, s'il te plaît ! Ferme-la !

Une assistante sociale… Par Isis ! Le meilleur moyen pour qu'on lance une enquête sur nous. Les Harman au tribunal. Mamie accusée de sénilité… ou d'appartenir à une secte… Et le Night World qui viendrait mettre de l'ordre dans tout ça…

Ce qui finalement chassa tout affolement en Thea, la laissant d'un calme olympien.

– Ça va, murmura-t-elle à l'adresse d'Eric sans le regarder. Ta maman veut juste rendre service.

Puis elle se tourna vers la femme aux petites lunettes :

– Je vous assure, madame, que tout va bien. Mamie n'a rien d'une excentrique. Elle nous raconte des légendes, mais ne nous fait pas peur pour autant.

Ça te va, comme ça ? Tu vas me laisser tranquille, maintenant ?

Il semblait que oui. La mère d'Eric partit d'un petit rire nerveux :

– Je ne voudrais pas provoquer entre Eric et vous... enfin...

– Quoi ? Une rupture ? Rassurez-vous, madame, il n'en est pas question.

Là-dessus, Thea décocha un sourire à Eric, mais détourna les yeux, car elle ne pouvait souvenir son regard.

– Désolée de vous paraître si susceptible... En fait, j'étais plutôt gênée. Comme ce que tu as raconté au sujet de ton grand-père.

– Alors, tu reviens avec nous ? Ou tu préfères qu'on te ramène chez toi ?

– Chez moi, si ça ne t'ennuie pas. J'ai du travail.

Elle s'excusa d'un sourire et il acquiesça, déçu mais un peu rassuré. Elle prit place à l'arrière, auprès de Rosamund qui lui serra la main.

– Te mets pas en pétard ! lui souffla-t-elle. J'espère que t'es pas en pétard. Je suis prête à tuer quelqu'un si ça peut te calmer.

– Je suis pas du tout énervée, assura Thea. T'inquiète pas.

Elle s'était réfugiée dans la stratégie d'un animal piégé : attendre, guetter la première occasion. Ne pas réagir tant qu'on ne voit pas venir une vraie chance de s'échapper.

– À demain, dit Eric en la déposant devant la boutique.

– À demain.

Elle leur adressa un signe. Ce n'était pas encore le moment. Elle continua d'agiter la main en regardant la Jeep s'éloigner, tourner au coin de la rue.

Maintenant, c'était le moment. Elle entra, grimpa l'escalier quatre à quatre, tout droit vers Blaise.

– Attends, coupa Blaise. Redis-moi ça : d'après toi, ils n'y ont pas cru une minute.

– C'est ça. Au pire, la maman d'Eric prend mamie pour une cinglée. Mais on l'a échappé belle. J'ai cru un moment qu'elle voulait la déclarer inapte à nous héberger chez elle.

Toutes deux s'étaient assises par terre entre les lits, et Blaise mangeait des bonbons de Halloween d'une main, en prenant des notes de l'autre main.

C'était elle tout craché : capable d'égoïsme et de vanité, d'agressivité, de paresse, de méchanceté envers les humains, en général plutôt difficile à vivre ; mais à ses yeux, la famille passait avant tout. C'était une sorcière.

Désolée de t'avoir comparée à Maya, songea Thea.

– C'est ma faute, dit-elle tout haut.

– Ça, oui !

– Je n'aurais pas dû tant le mêler à ma vie.

Même si c'était l'attitude de Blaise qui l'y avait incitée avec ses menaces ; elle avait cru pouvoir le protéger en ne le quittant pas des yeux. Elle avait cru... elle avait cru...

Que tout allait s'arranger. Voilà. Elle avait toujours secrètement espéré pouvoir envisager de vivre avec lui. D'une façon ou d'une autre. Même si cet espoir s'était amenuisé d'heure en heure.

Seulement, maintenant, il lui fallait regarder la vérité en face.

Il n'y avait rien à espérer.

Tout ce qu'elle pouvait donner à Eric, c'était la mort. Et vice versa. Elle s'en était rendu compte d'un seul coup, au moment où elle avait aperçu sa mère dans l'encadrement de la porte.

Impossible de vivre tous les deux ensemble sans risquer de se faire aussitôt repérer. Même s'ils fuyaient au loin, le Night World les retrouverait. Ils seraient amenés devant le Cercle vital, l'assemblée des anciens, vampires et sorcières. Et la loi leur serait appliquée.

Thea n'avait jamais assisté à une exécution, mais elle en avait entendu parler. Et si les Harman tentaient d'intervenir en sa faveur, ce serait la guerre. Sorcières contre vampires. Peut-être même sorcières contre sorcières. La fin de leur monde.

– En fin de compte, on n'est donc pas tenus de tuer la mère, conclut Blaise, pragmatique. D'un autre côté, si on tue les enfants, ça gâchera la vie de la mère qui pourrait vouloir se venger. Alors, pour être tranquilles…

– On ne va pas tous les tuer !

– Pas nous. On va s'adresser à nos chers cousins vampires. Ash… il se trouve bien quelque part sur la côte ouest, je crois ? Ou Quinn, il aime ce genre de chose. Une morsure vite fait, un peu de sang…

– Blaise, jamais je ne laisserai les vampires tuer Eric. Ni personne d'autre. Ce n'est pas la peine. On ne fera mourir personne.

– Tu as une meilleure idée ?

Thea contemplait la statuette d'Isis, la reine des déesses égyptiennes, sur le bureau.

– Je… ne sais pas. Je pensais à la coupe de Léthé. Pour leur faire oublier tout ce qu'ils savent de moi. Mais ça pourrait paraître bizarre… une famille entière qui souffre de trous de mémoire. Sans compter les élèves du lycée, qui se demanderont pourquoi Eric a oublié mon nom.

– Bien vu.

Thea regardait la Lune entre les cornes d'Isis. Elle, qui était parvenue jusque-là à garder la tête froide, se sentait maintenant caler. Il devait pourtant exister un moyen de sauver Eric et sa famille. Sinon, à quoi servait-elle ?

C'est alors qu'elle réalisa.

– D'après moi, commença-t-elle lentement, le mieux serait d'amener Eric à ne plus s'intéresser à moi. Crois-moi, ça fait largement aussi mal que n'importe quelle torture physique. Il faudrait qu'il tombe amoureux de quelqu'un d'autre.

Blaise se redressa, dépiauta un bonbon de ses longues mains élégantes.

– Je t'admire. C'est très futé, comme solution.

À quoi Thea se hâta de mettre un bémol :

– Oui, mais pas toi ! lâcha-t-elle entre ses dents. Tu piges ? Il faut que ce soit une humaine. S'il tombe amoureux d'une autre fille, ce sera aussi efficace que la coupe de Léthé. Personne ne disparaîtra, personne ne sera pris d'amnésie ; personne ne se posera de question.

– Entendu. Ça m'aurait pourtant plu. Il a une fichue volonté, je crois qu'il m'aurait résisté un certain temps. Ça m'aurait amusée.

Thea préféra changer de sujet :

– J'ai gardé un peu de son sang. Maintenant, je voudrais savoir si tu connais un sortilège assez puissant pour complètement le mettre par terre.

Blaise mit le bonbon dans sa bouche.

– Évidemment ! Et, oui, c'est un sortilège interdit.

– Je m'en serais doutée. À croire que ça va devenir ma spécialité. Un de plus, un de moins... Mais c'est moi qui m'en occuperai. Je ne veux pas que tu aies d'ennuis à cause de moi.

– Tu ne vas pas aimer. Il faut employer la pierre à venin, un bézoard, tiré d'un estomac de bouquetin... il se trouve que j'en ai récupéré un quand on habitait chez la tante Gerdeth.

Les bouquetins faisaient partie des races protégées. Toutefois, celui-ci était déjà mort.

– Je m'en occupe, répéta Thea d'un ton buté.

– Tu tiens tant que ça à lui ?

– Oui... Je crois que c'est mon âme sœur. Mais...

Tu es prête à tout sacrifier ?

– Je ne veux pas causer sa mort, ni provoquer une guerre entre les Harman et le reste du Night World. Et si je dois renoncer à lui, autant que ce soit moi qui m'en charge ; que je m'assure qu'il est heureux avec quelqu'un d'autre qui l'aime vraiment.

– Tu as déjà une fille en vue ?

– Elle s'appelle Pilar.

Thea releva brusquement la tête :

– Blaise ? Quand Luke t'a demandé ce que tu voulais, tu as répondu « Rien que je puisse obtenir »... Qu'est-ce que tu entendais par là ?

Sa cousine commença par lever les yeux au plafond, puis répondit :

– Tu crois que les gens désirent ce qu'ils peuvent obtenir ? Franchement ?

– Je… je ne sais pas.

Blaise posa le menton sur ses genoux.

– Dès qu'une chose arrive à notre portée, on ne la désire plus vraiment. Il reste toujours des choses dont on a envie et qu'on ne peut pas atteindre… et c'est peut-être mieux comme ça.

Thea ne trouvait pas ça mieux du tout. C'était le genre de leçon qu'elle n'avait aucune envie d'apprendre.

– Bon, rétorqua-t-elle, on s'en occupe, de ce sortilège ?

13

– Tu sais, lança Blaise, si ça se trouve, il ne t'a aimée qu'à cause de la racine de Iemanja.

Elle s'était réfugiée avec Thea dans le laboratoire désert, le coin le plus tranquille qu'elles aient pu trouver pendant la pause du matin au lycée.

– Merci, Blaise, ça fait toujours plaisir !

Pourtant, c'était sans doute vrai. Pour un peu, Thea aurait oublié qu'elle avait eu recours à un sort pour séduire Eric.

Je dois en tenir compte. À partir du moment où cette attirance n'était qu'artificielle, elle ne devrait pas me manquer.

Elle se sentait comme prisonnière dans un bloc de glace.

– Tu as trouvé ?

– Oui.

Blaise posa une bague sur la table.

– J'ai demandé à Pilar si je pouvais l'essayer, et je lui

ai fait croire que je l'avais perdue dans les buissons. Elle est encore en train de la chercher.

Thea sortit les fétiches de sa besace, deux poupées d'un parfait réalisme anatomique que Blaise avait réalisées à partir de la cire bleue dont elle se servait pour ses bijoux. Décidément, c'était une artiste. À l'intérieur de la poupée masculine, elle avait glissé le morceau de Kleenex taché du sang d'Eric et un de ses cheveux blond vénitien resté accroché à l'épaule de Thea.

Quant à la bague de Pilar, Thea la passa à la cheville de la poupée féminine.

Pendant ce temps, Blaise sortit de son sac à dos un flacon hexagonal contenant un liquide composé de toutes sortes de choses plus dégoûtantes les unes que les autres, parmi lesquelles un bézoard concassé. Thea retint son souffle en la voyant le déverser sur les deux fétiches, qui se mirent aussitôt à fumer.

– Maintenant, attache-les, dit Blaise en toussant.

– Je sais.

Thea prit un mince ruban rouge de plus de deux mètres de long, qu'elle entreprit patiemment de nouer autour des poupées, au point de leur donner des allures de momies. Avec le bout restant, elle fit une boucle.

– Et voilà ! conclut Blaise. Liés à la vie, à la mort. Bravo ! Il est dix heures et quart. Il devrait avoir oublié ton existence dans à peu près… une minute.

Là-dessus, elle passa les mains dans ses cheveux, qui lui retombèrent sur le visage en une cascade noire.

Thea s'arracha un sourire.

*
* *

La douleur était cuisante, comme si on lui avait coupé une partie de son corps. Elle avait l'impression d'une blessure à vif qui n'en finissait plus de saigner, au point qu'elle ne parvenait plus à écouter les cours de français et de trigonométrie.

Il n'y a pas que ça dans la vie. Je vais m'en aller, m'occuper de gens ; je vais travailler dans les pays du tiers-monde ou essayer de sauver des espèces en voie de disparition.

Mais ces pensées n'apaisaient en rien sa douleur, ni l'impression qu'une fois guérie elle se sentirait vide et inutile.

Tout ça pour un humain...

Elle avait beau faire, elle ne parvenait pas à retrouver son état d'esprit d'autrefois. Sans doute les humains étaient-ils des monstres, mais c'étaient quand même des gens qui valaient bien les sorcières. Juste différents.

Elle réussit à ne pas croiser Eric de toute la journée ; il suffisait de déguerpir dès que la cloche sonnait et d'arriver en retard aux cours. À la sortie du dernier, elle était en train de galoper dans un couloir pour rejoindre Dani, lorsqu'elle tomba sur Pilar.

– Thea !

L'assistante du vétérinaire paraissait surprise et la scrutait de ses yeux d'ambre bordés de longs cils, l'air déconcertée.

Tu te poses des questions sur ce qui t'arrive ? Eric t'a déjà fait des propositions ?

– Quoi ?

Pilar hésita, puis secoua la tête et s'éloigna.

Thea se précipita vers la salle où avait eu lieu le cours d'histoire.

Elle y fut accueillie par une exclamation de Dani :

– Thea !

Décidément, elles se sont donné le mot…

– Où étais-tu ? Eric te cherche partout.

Tu m'étonnes. Blaise s'est au moins trompée sur ce point. Il ne va pas me planter là sans rien dire. Il va gentiment m'expliquer qu'il me quitte.

– Je pourrais rentrer avec toi ? l'implora Thea d'un ton misérable.

L'air anxieux, Dani l'entraîna dans un coin.

– Je te jure qu'il veut absolument te voir… Qu'est-ce qui se passe, c'est à cause de Suzanne ? L'ancien gymnase est toujours fermé, non ?

– Ça n'a rien à voir.

Elle allait lui dire de se presser, lorsqu'une haute silhouette passa la porte.

Eric.

Il marcha droit sur Thea.

Les élèves qui entouraient encore le bureau du professeur les regardèrent, le professeur les regarda. Thea se sentait prise au piège d'un spectacle pitoyable.

– J'ai quelque chose à te dire, lança-t-il.

Elle ne l'avait jamais vu dans un tel état, pâle, les yeux vitreux, les joues creuses, comme s'il ne dormait plus depuis une semaine, depuis ce fameux matin où elle lui avait jeté ce sort.

Il avait raison. La moindre des choses était de mettre un terme à leur relation, de lui dire qu'il pouvait s'en aller le cœur léger, sinon il ne s'y résoudrait jamais.

Je peux bien faire ça pour lui.

– Bon, dit-elle, mais on va dans un coin plus calme.

Plantant là Dani, ils traversèrent le campus, passèrent devant l'ancien gymnase toujours encerclé du ruban jaune de la police, puis le terrain de football. Thea n'avait aucune idée de l'endroit où il l'entraînait et commençait à se demander s'il le savait seulement. Pour l'instant, ils ne faisaient que marcher, afin d'échapper au regard des autres.

Le gazon vert des pelouses avait disparu pour faire place aux herbes jaunies de la prairie, puis au désert. Thea croisa les bras, se rappelant combien il y faisait déjà froid le soir. L'été avait bien disparu.

Comme Eric s'arrêtait, elle se dit qu'il allait enfin parler. *Pas besoin de réfléchir, il faut juste que je trouve les mots adéquats.*

Posant sur elle des yeux hagards, il commença :

– Je voudrais que tu arrêtes.

Étrange formulation. *Tu veux dire que je rompe ? Que je mette un terme à cette sinistre comédie ?*

Cependant, elle ne put articuler de telles paroles et se contenta d'un pitoyable :

– Quoi ?

– Je ne sais pas à quoi tu joues. Mais arrête immédiatement.

Il la fixait sans avoir l'air de s'excuser, pas plus que d'implorer. Il parlait d'un ton sec.

D'un seul coup, Thea eut l'impression qu'elle s'était trompée sur toute la ligne et en eut la chair de poule.

Elle ne sut que balbutier :

– Je... Qu'est-ce que tu racontes ?

– Tu le sais très bien.

Elle fit non de la tête.

Il haussa les épaules, l'air de dire « tu l'auras voulu ».

– Ton petit jeu, là, à vouloir me jeter dans les bras de Pilar. Arrête ça ! Vis-à-vis d'elle, c'est dégueulasse. Elle croit que je me fiche d'elle, alors que je n'ai juste pas envie de sortir avec elle. C'est toi que j'aime. Si tu veux te débarrasser de moi, tu n'as qu'à le dire au lieu d'essayer de me refiler à quelqu'un d'autre.

En écoutant ce discours, Thea avait l'impression de flotter à un mètre du sol. Le ciel du désert semblait trop clair, trop éblouissant. Tandis que son cerveau courait dans tous les sens, comme Madame Curie dans une nouvelle cage, elle parvint à balbutier :

– Qu'est-ce que... j'ai à voir là-dedans... si tu préfères Pilar ?

Eric chercha des yeux un endroit où s'asseoir, trouva un rocher, contempla ses mains un long moment sans rien dire. Finalement, il leva sur Thea un regard impuissant :

– Arrête, tu veux ? Ne me prends pas pour un débile mental !

Oh !

– Oh !

Ne te bloque pas, se dit-elle encore. *Tu l'as déjà bluffé une fois. Tu as réussi à lui faire croire qu'il n'avait pas été mordu par un serpent ; par la Terre, tu peux bien lui faire changer d'idée !*

– Eric... on est tous un peu stressés en ce moment...

– Ça va, épargne-moi ton baratin ! Tu charmes les serpents, tu lis dans la cervelle des cochons d'Inde. Tu guéris d'un geste les morsures de serpents à sonnette. Tu t'introduis dans l'esprit des gens. Tu fabriques des sachets d'herbes magiques, et ta folle de cousine est la déesse Aphrodite… J'en passe, et des meilleures.

Thea s'assit près de lui sur un autre rocher. Elle respirait lourdement et c'était à peu près la seule chose au monde dont elle ait conscience pour le moment.

– J'ai l'impression, continuait Eric, que tu es en fait une descendante de cette chère Hécate, la reine des sorcières. Je me trompe ?

– Pourquoi ? Tu crois avoir gagné un prix ?

Elle n'arrivait pas à réfléchir davantage, juste à bafouiller de lamentables paroles.

Il commença par sourire, d'un sourire triste, le premier qu'elle ait pourtant vu de la journée, et qui eut tôt fait de disparaître.

– C'est donc vrai ? insista-t-il.

Elle tourna les yeux vers le désert, vers les vastes falaises dénudées dans le lointain, s'imprégna de leur coloris brunâtre, se passa une main sur le nez.

Elle allait accomplir un acte que tous ses ancêtres seraient unanimes à condamner, qu'aucun des êtres qui l'avaient vue grandir ne pourraient comprendre.

– C'est vrai, murmura-t-elle.

Il poussa un soupir, seul être humain dans l'immensité du désert.

– Depuis combien de temps le sais-tu ? reprit-elle.

– Je... je l'ignore. J'ai l'impression que je l'ai toujours su. Mais ce n'était pas possible... et puis tu ne voulais rien me dire. Alors... finalement, je ne savais pas.

Pourtant, il parut se ranimer à cette idée :

– Alors, c'est vrai ? Tu pratiques la magie ?

Allez, dis-le. Tu as fait tout le reste. Tu n'as plus qu'à prononcer ce mot devant un humain.

– Je suis une sorcière.

– Une « femme de la Terre », comme je t'ai entendue vous définir. Et Roz me l'a confirmé.

Cette révélation la terrifia au-delà de ce qu'elle aurait pu imaginer :

– Eric ! Ne me dis pas que vous avez parlé de ça avec Roz ! Tu ne comprends pas ! Ils vont la tuer.

Il n'en parut pas aussi choqué qu'elle ne l'aurait cru.

– Je savais bien que tu avais peur de quelque chose. Mais je croyais que c'était juste parce que ces gens pouvaient te faire du mal... à toi et à ta grand-mère.

– C'est sûr. Ils vont me tuer. Seulement, ils vont aussi s'en prendre à toi, et à Roz... et à ta maman et aux autres humains qu'ils penseront être au courant.

– Qui ça, « ils » ?

Elle le dévisagea un instant avant de parachever sa trahison :

– On appelle ça le Night World.

– D'accord, dit-il lentement une demi-heure plus tard.

Tous deux étaient maintenant assis l'un près de l'autre sur le même rocher. Pourtant, Thea s'efforçait de ne pas le toucher, même si elle sentait sa présence de tout son être.

– D'accord. Donc, en principe, les descendants de Maya sont des lamies et ceux d'Hellewise, des sorcières. Et ensemble, ils forment cet ordre secret qu'on appelle le Night World.

– Oui. Mais il n'y a pas que des lamies et des sorcières. Il y a aussi les métamorphes, les nouveaux vampires, les loups-garous... enfin, toutes les races que les humains ne supportent pas.

– Des vampires, souffla Eric contre le sachet d'herbes. Ça, ça me branche, les vrais vampires. Je ne sais pas pourquoi... Au fait, si vous possédez tous des superpouvoirs, qu'est-ce que vous attendez pour dominer la Terre ?

– On n'est pas assez nombreux.

– Mais, attends...

– Vous vous reproduisez trop vite, vous avez trop d'enfants... et vous nous tuez dès que vous croyez tenir l'un d'entre nous. Les sorcières étaient à peu près décimées lorsqu'elles ont décidé de s'unir aux autres races pour former le Night World. Voilà pourquoi nos lois sont si strictes, pourquoi il faut absolument que nous gardions nos secrets face aux humains.

– Et c'est pour ça que tu as voulu me refiler à Pilar.

Thea sentait son regard peser sur elle aussi sûrement que s'il lui avait mis la main sur l'épaule.

– Je ne voulais pas que tu meures. Ni moi non plus, d'ailleurs.

– Parce qu'ils nous tueraient vraiment, si on était amoureux ?

– À l'instant même où ils le sauraient.

Cette fois, il lui prit l'épaule, et elle dut produire un énorme effort pour ne pas trembler.

– Dans ce cas, dit-il, on va garder le secret.

– Ce serait trop facile ! Tu ne comprends pas. On n'a nulle part où nous cacher. Les créatures de la nuit sont partout.

– Et elles suivent toutes les mêmes lois ?

– Oui. C'est ce qui leur permet de survivre.

– On va bien trouver une solution, soupira-t-il.

– C'est ce que je me suis dit... au début. Mais il faut voir les choses en face. Notre seule chance de nous en tirer vivants, c'est de nous séparer. Tu dois faire ton possible pour m'oublier, ainsi que ce que je viens de te raconter.

Cette fois, elle tremblait de tous ses membres et ses yeux s'étaient emplis de larmes. Cependant, elle serrait les poings et refusait de soutenir son regard.

– Thea…

– Arrête ! Je ne veux pas être la cause de ta mort !

– Mais je ne pourrai jamais t'oublier, ni cesser de t'aimer !

– Qui te dit que ça non plus, ce n'était pas un sort ?

Elle pleurait maintenant à chaudes larmes ; du pouce, il lui essuya les joues. Elle finit par chasser cette main de son visage.

– Écoute-moi ! Tu as oublié une chose, quand tu as énoncé tout ce que je savais faire. Je suis également capable de préparer des philtres d'amour. Je t'ai jeté un sort, et c'est pour ça que tu es tombé amoureux de moi.

Ce qui ne parut pas impressionner Eric.

– Quand ?

– Euh… Le jour où je t'ai demandé de m'emmener à la soirée.

Il se mit à rire.

– Tu…

– Thea… arrête ! J'étais amoureux de toi depuis plus longtemps que ça ! En fait, ça remonte au moment où on s'est rencontrés devant ce serpent. À peine s'est-on regardés que... que... tu es apparue au milieu d'une sorte de brume, je n'avais jamais rien vu de plus beau. Alors c'était peut-être magique, mais je parie que ça ne provenait pas d'un de tes envoûtements...

Thea s'essuya les yeux avec sa manche. Soit, Iemanja n'y était pour rien. De toute façon, aucun sort ne semblait fonctionner sur Eric... même les poupées n'avaient servi à rien...

Elle se pencha soudain et prit sa besace.

– Et je me demande bien pourquoi ça n'a pas marché ! marmonna-t-elle.

Elle sortit une trousse de maquillage, l'ouvrit, en tira les poupées toujours liées. À première vue, cela semblait réussi. Et puis Thea comprit ce qui s'était passé.

La poupée masculine s'était retournée. Au lieu de faire face à sa partenaire, elle lui tournait le dos.

Le ruban rouge les tenait serrées. Impossible qu'elles aient glissé, que cela soit dû à un accident. Pourtant, Thea les gardait dans son sac depuis le matin.

– Tiens, observa Eric, c'est la bague de Pilar. Attends, c'était ça, ton gri-gri pour nous lier l'un à l'autre ? Je peux voir ?

– Si tu veux, maugréa-t-elle, prise de vertige.

Cette situation n'était donc pas due à un accident. Or, aucun humain n'aurait pu faire ça, pas plus qu'une sorcière.

Alors...

Et s'il existait une magie plus puissante que tous ces sortilèges ? Et si le principe de l'âme sœur était seul responsable, et si, lorsque deux personnes étaient destinées l'une à l'autre, rien ne pouvait les séparer ?

Eric détachait délicatement le ruban rouge.

– Je vais rendre sa bague à Pilar, annonça-t-il en rangeant les poupées.

Il posa un regard insistant sur Thea.

– Je t'ai toujours aimée. Seulement... est-ce réciproque ? Est-ce que toi, tu m'aimes aussi ?

Elle l'avait à peine entendu prononcer ces derniers mots, cependant il ne la quittait pas des yeux.

Il doit y avoir de ces choses contre lesquelles on ne peut rien...

Elle s'obligea à soutenir son regard.

– Je t'aime, murmura-t-elle. Je ne sais pas ce qui va nous arriver, mais c'est comme ça.

Lentement, comme au ralenti, ils tombèrent dans les bras l'un de l'autre.

– Il y a un problème, reprit Thea peu après. En plus de tous les autres. J'ai quelque chose à faire la semaine prochaine, et il faudrait que tu m'accordes un peu de temps.

– Quel genre de chose ?

– Je ne peux pas te le dire.

– Si, souffla-t-il calmement contre ses cheveux. Tu dois tout me dire, maintenant.

– Ça touche à la magie, c'est dangereux…

Une seconde trop tard, elle prit conscience de son erreur.

– Comment ça, dangereux ?

Il s'était redressé, et sa voix laissait entendre que l'interlude paisible s'achevait là.

– Si tu crois que je vais te laisser courir le moindre danger…

Il avait l'art de l'épuiser, plus encore que sa sœur, et Thea ne savait rien lui refuser. Elle finit par tout lui avouer à propos de Suzanne Blanchet.

– Une sorcière morte, commenta-t-il.

– Un esprit. Très en colère.

– Et tu crois qu'elle va revenir ?

– Je crois qu'elle est toujours restée là. Qu'elle traîne du côté de l'ancien gymnase sans obtenir de résultats, puisque personne n'est venu s'attaquer aux mannequins. Mais si on l'ouvre pour y donner la soirée de Halloween…

– Ça grouillera d'humains qui viendront tous visiter ces stands et lui rappelleront ce qu'elle déteste tant. Elle pourra les écraser comme des tiques sur un chien.

– Quelque chose dans ce genre. Ça fera mal. Il faudrait donc que je l'attire ailleurs pour pouvoir la renvoyer là d'où elle vient.

– Qu'est-ce que tu comptes faire, au juste ?

– Je ne sais pas.

Elle se passa une main sur le front. Le soleil déclinait vers les collines et les ombres étirées de cette fin d'après-midi grisaient le désert.

– Mais si ! insista Eric d'un ton neutre.

Pas toi. Je me suis promis de ne pas me servir de toi. Même pas pour sauver des vies.

– Tu sais, mais tu trouves ça trop dangereux pour des humains. Pour moi, puisque c'est moi qui vais t'aider.

Je ne me servirai pas de toi...

– Bon, que je te mette tout de suite à l'aise, tu sais très bien que je ne vais pas te lâcher. Alors, on part de ce principe et on avance.

C'est lui, le fou qui se moque des morsures de serpent, qui attaque les gens avec des tasses de punch. Tu crois que tu vas pouvoir l'empêcher de t'aider ?

Mais si quelque chose devait lui arriver...

La voix revint alors à ses oreilles et Thea ne comprit pas le sens de ce qu'elle disait, mais elle n'aima pas cela :

Tu es prête à tout sacrifier ?

14

Une semaine s'écoula, plus ou moins calme. Mamie Harman revint à la maison, délivrée de sa toux. Elle ne sembla pas remarquer de changements chez Thea.

La nuit tombait plus vite et, au lycée, tout le monde ne parlait plus que de soirées et de costumes. Il faisait de plus en plus frais. Enfin, on annonça que l'ancien gymnase allait rouvrir pour Halloween.

Thea apprit que Randy Marik avait été conduit dans un hôpital psychiatrique pour une thérapie intensive. Il y faisait quelques progrès.

Eric et elle travaillaient sans cesse à leur plan d'attaque.

Le seul moment un peu animé se produisit le soir où Thea vint s'asseoir sur le lit de Blaise, pour annoncer :

– Les balles ne l'arrêteront pas.

– Pardon ? demanda sa cousine, en s'appliquant de la crème sur les coudes.

– Les sortilèges n'ont aucun effet sur Eric. Ils ne font que glisser sur lui. Je te dis ça parce que tu vas finir par remarquer qu'il n'est pas avec Pilar.

Blaise ferma d'un coup son pot de crème.

– Attends, qu'est-ce que tu dis là ?

La belle humeur de Thea l'abandonna. Elle baissa les yeux.

– Qu'on est et qu'on restera des âmes sœurs, et que je n'y peux rien. Rien de rien.

– Ce n'est pas vrai... Après ce mal...

– Eh oui ! Après ce mal qu'on s'est donné. J'ai eu beau essayer de tout arrêter, ça n'a rien fait, et maintenant je crève de peur. Mais on n'y peut rien, Blaise. C'est pour ça que je te le dis. Il va falloir que je trouve un moyen de faire avec. D'accord ?

– Tu sais bien que non. Impossible.

– Je voulais juste te demander de ne pas chercher à le tuer ni à nous dénoncer. Parce que je n'ai aucune envie de me battre avec toi. Et que je ne peux pas m'empêcher d'enfreindre les lois du Night World.

– Ça ne va pas, Thea ? Tu m'as l'air tellement...

– Fataliste ?

– Tu me fais peur, oui !

– Je vais bien... Seulement, je ne sais pas ce qui va m'arriver... sinon, je suis tranquille. Je vais faire de mon mieux, et Eric aussi. À part ça, je ne peux rien garantir.

– Rassure-toi, je ne te dénoncerai pas et tu le sais bien. On est comme des sœurs. Quant à essayer de le tuer... De toute façon, ça risquerait de ne pas marcher. Ce type est impossible.

– Merci, Blaise.

Thea effleura le bras de sa cousine, qui posa un instant sur sa main ses longs doigts manucurés, puis elle se retourna, redressa son oreiller d'un petit geste agacé.

– Ne me dis rien de plus, tu veux ? Je me fiche de ce que vous faites tous les deux, je ne veux pas le savoir. J'ai d'autres soucis en tête, figure-toi. Il faut que je me décide entre une Maserati et une Karmann Ghia.

Halloween.

Par la fenêtre, Thea regardait le monde s'obscurcir. Pas d'enfants dans les parages, mais elle savait qu'ils trottinaient à travers la ville, déguisés en lutins, en fantômes, en sorcières et en vampires, alors que les vrais restaient enfermés devant leurs cheminées, ou se recevaient les uns les autres dans des soirées très privées, sans doute en train de ricaner d'un tel étalage de candeur.

Et les vraies sorcières se préparaient pour leur cercle de Samhain.

Thea enfila un fourreau blanc sans manches, coupé tout d'une pièce. Elle accrocha une ceinture blanche à sa taille en n'y formant qu'une seule boucle, puis en reforma deux autres de chaque côté, afin d'obtenir un *tit*, ou nœud d'Isis. Voilà quatre mille ans que les sorcières en ornaient leurs ceintures.

Reprenant son souffle, elle jeta un coup d'œil au-dehors.

Profite bien de ce moment paisible, parce que la nuit va être agitée.

La Jeep d'Eric se gara devant la boutique et il donna un bref coup de Klaxon.

Thea saisit sa besace, qu'elle avait fourrée sous le lit pour mieux y cacher tout ce qu'elle emportait : rondelles de chêne, de frêne, de quassia, chardon bénit, racine de mandragore, ainsi que les résidus desséchés de la coupe de bronze qu'elle était finalement parvenue à gratter à l'aide d'un des couteaux à sculpter de Blaise ; un sceau de bois, également fabriqué à l'aide des outils de Blaise ; et puis un flacon contenant trois précieuses gouttes de potion de l'invocation, prélevées dans la bouteille de malachite.

Elle se dirigea vers l'escalier.

– Hé ! Tu pars déjà ? lança Blaise en émergeant de la salle de bains. On a encore au moins une heure et demie avant le début du Cercle.

Elle était magnifique, plus à l'aise que jamais à cette époque de l'année qui lui correspondait parfaitement. Elle portait le même fourreau que Thea, mais en noir, également sans manches et tout d'une pièce. Ses longs cheveux lui descendaient jusqu'aux hanches et elle les avait parsemés de petites clochettes. Sa peau claire contrastait avec ses vêtements et sa coiffure, et elle était pieds nus, avec juste un anneau à la cheville.

– J'ai quelque chose à faire avant le Cercle, annonça Thea. Ne me demande pas quoi.

Sa cousine ne savait évidemment pas ce qu'ils avaient en tête, Eric et elle. Pas plus que Dani, d'ailleurs. Et c'était mieux ainsi.

– Sois prudente… lança Blaise en la regardant descendre.

Thea lui adressa un signe.

L'arrière de la Jeep débordait de petit bois.

– Je me suis dit que je ferais mieux d'en apporter encore, pour le cas où, expliqua-t-il. Tu es magnifique, dans cette tenue !

– Merci. C'est la tradition. Tu n'es pas mal, toi non plus.

Il portait l'uniforme d'un soldat français du XVIIe siècle, tel qu'on devait en voir à Ronchin, du moins tel qu'il l'imaginait à partir des illustrations qu'il avait pu se procurer.

Ils roulèrent vers le désert, traversèrent les collines dénudées, quittèrent la grande route pour pénétrer dans la forêt d'arbres de Josué, jusqu'à ce qu'ils trouvent l'endroit qu'ils cherchaient, plutôt minuscule, enchâssé dans des parois de grès rose. Celles-ci ne rappelaient guère les monolithes de Stonehenge, elles étaient beaucoup trop courbes et aplaties, mais feraient l'affaire.

Ils avaient déterminé seuls l'endroit en question, et Thea en était très fière.

– Le feu continue, annonça-t-elle. C'est bon signe.

Cela faisait trois jours qu'il brûlait au milieu du cercle. Elle espérait qu'il attirerait l'attention de Suzanne, la détournant ainsi des visiteurs de l'ancien gymnase. Et cela semblait avoir fonctionné.

Il n'y avait pas que le feu, bien sûr. Les trois mannequins allongés au sol et attachés à des poteaux devaient également l'intéresser.

– Ces braves gens ont l'air de faire l'affaire, observa Eric.

Il souleva le plus petit, l'épousseta, le planta au sol, lui donnant ainsi l'air d'un épouvantail.

Un épouvantail revêtu d'un fourreau noir à la ceinture nouée en tit, et portant une pancarte autour du cou : « LUCIENNE ».

L'autre petit mannequin affichait le prénom « CLÉMENT ». Et le grand, « SUZANNE ».

– Bon, dit Thea quand ils eurent déchargé le bois de la Jeep. N'oublie pas, tu ne fais rien du tout jusqu'à mon retour, d'accord ? Pas un mouvement. Et si j'ai cinq minutes de retard, tu m'attends.

– La soirée de Halloween commence à neuf heures, si tu n'es pas là, je pourrais…

– Je serai là. Mais tu ne brûles pas ces sorcières avant mon arrivée, d'accord ?

– Bonne chance !

L'uniforme lui allait bien, même cette tenue de soldat rétro. Ils s'embrassèrent au clair de lune.

– Sois prudent, murmura-t-elle en se détachant de lui.

– Reviens-moi vite ! Je t'aime.

Elle regagna la ville au volant de la Jeep, pour se rendre à la réunion du Cercle du crépuscule des jeunes filles.

Cette année, la réunion se tenait dans un club du Night World, au sud de la ville. Aucune enseigne à l'entrée, mis à part le paillasson orné d'un dahlia noir, entre deux citrouilles ricanantes.

Thea frappa et la porte s'ouvrit.

– Dani, tu es magnifique !

– Toi aussi.

Elle portait une simple robe blanche plissée à l'égyptienne, et des nattes noires s'entrecroisaient sur sa tête, formant une couronne qui lui retombait dans le dos et sur les bras. La déesse Isis en personne.

– Mais tu ne t'es pas déguisée ? observa-t-elle à l'adresse de Thea.

– Avec Blaise, on a voulu incarner Maya et Hellewise.

Pour tout dire, elle se sentait plus à l'aise dans sa tenue habituelle du Cercle, quant à Blaise, elle s'y sentait plus belle que jamais.

– Entre vite, tu es la dernière ! dit Dani en l'entraînant par la main.

Elles descendirent une volée de marches pour se retrouver dans une salle au sous-sol, décorée à la va-vite, avec des caisses en guise de sièges et des spots blancs entre les piliers de béton. Les chaises métalliques avaient été poussées contre les murs.

– Thea ! Bonsoir ! Joie et bienvenue, cria l'assistance.

Le sourire aux lèvres, Thea fit le tour en étreignant tout un chacun.

– Bon Samhain, répétait-elle. Unité.

Durant ces quelques minutes, elle oublia ce qui allait se passer cette nuit. C'était si bon de les revoir, tous ses amis des Cercles de l'été !

Il y avait là Kishi Hiata, en jaune et orange, personnifiant Amaterasu, la déesse japonaise du Soleil ; Alaric Breedlove, élève de seconde dans le même lycée qu'elle, vêtu en Tammuz le berger, fils de la déesse mère Ishtar ; Claire Blessingway en Femme-Changeante, déesse navajo à la robe ornée de turquoises et d'une fleur aux pétales rouges ; Nathaniel Long, en Herne, dieu celte de la Chasse, à la tenue verte et à la ramure de cerf.

Les humains se déguisaient, cette nuit-là. Les sorcières aussi, pour tenter de refléter leur moi intime, la personne qui les habitait vraiment.

– Tiens, santé ! dit Claire en lui tendant un gobelet de carton.

Il contenait une tisane rouge épicée à la cannelle et au clou de girofle.

– C'est de l'hibiscus, une recette de mon père.

On lui présenta également un plateau de gâteaux sablés en forme de croissants de lune. Thea en prit un. L'atmosphère était tellement douce et rassurante qu'elle aurait aimé pouvoir en profiter toute la nuit, vivre un cercle de Samhain normal, célébrer...

Mais Eric l'attendait dans le froid et l'obscurité du désert. Et Thea comptait les minutes qui la séparaient du départ.

– Allez, bonnes gens, il est temps de commencer !

Lawai'a Ikue, une belle fille aux formes généreuses et à l'épaisse crinière noire, se tenait au milieu de la pièce, vêtue d'un fourreau rouge et d'un collier de fleurs, symbole de Pele, la déesse hawaiienne du Feu.

– Formons d'abord notre cercle. Là. C'est bien. Chang Xi, tu es la plus jeune.

Une fillette aux grands yeux en amande s'avança timidement. C'était la première fois que Thea la voyait. Elle devait avoir eu dix-sept ans après le Cercle de l'été. En vert jade, elle incarnait Kuan Yi, la déesse chinoise de la Compassion.

D'un geste discret, elle prit une branche de genêt et en balaya le sol.

– Thea, tu répands le sel.

Celle-ci en fut aussi surprise que contente. Elle saisit la coupe de sel que lui tendait Lawai'a et, passant devant les convives qui formaient le cercle, en traça la circonférence.

– Alaric, avec l'eau…

Lawai'a s'interrompit et jeta un regard surpris vers l'escalier, aussitôt imitée par Thea et le reste de l'assistance.

Deux adultes, des mères, descendaient les dernières marches. Lorsqu'elles passèrent dans la lumière, Thea ressentit un choc.

Tante Ursula.

En tailleur gris, l'expression fermée.

Nul n'émit le moindre son. On n'interrompait pas ainsi le déroulement d'un cercle.

– Bon Samhain, finit par bredouiller la voix flûtée de Lawai'a.

– Bon Samhain, répondit poliment tante Ursula.

Cependant, elle ne souriait pas davantage qu'un prof mécontent.

– Je suis absolument désolée de vous déranger, mais j'en ai pour une minute.

Le cœur de Thea se mit à battre violemment.

Tu culpabilises trop, se dit-elle. *Ça n'a rien à voir avec toi.*

Malheureusement, elle se trompait. Et elle le savait déjà lorsque retentit la voix sonore et sèche :

– Thea Sophia Harman !

Comme si elle ne m'avait pas reconnue !

Prise d'une impulsion, elle se précipita dans la direction de sa tante, passa devant elle en hâte pour filer vers l'escalier. Maintenant, elle savait pourquoi les lapins quittaient bêtement le refuge de leur terrier pour aller se jeter dans la gueule des chiens de chasse. Question de panique.

Tous les regards s'étaient portés sur elle.

– Qu'est-ce qu'il y a ? demanda-t-elle en feignant la surprise.

Tante Ursula la toisa, l'air de dire « tu le sais très bien ». Cependant, elle ne prononça pas un mot. Ce qui était presque pire.

– Dani Naete Mella Abforth !

Ô Ilythie ! Pas Dani, non...

Celle-ci sortit à son tour du cercle, la tête fièrement levée malgré la frayeur qui se lisait dans ses yeux. Elle s'approcha de Thea dans un froufrou de lin.

Dani, pardon...

– C'est tout, conclut tante Ursula. Vous autres, vous pouvez continuer. Bon Samhain à tous.

Se tournant vers Thea et Dani, elle ajouta :

– Vous, vous me suivez.

Que pouvaient-elles faire d'autre ?

Dehors, dans la nuit fraîche, Dani risqua un :

– Qu'est-ce qu'on a fait ?

Et toutes deux regardaient, l'une après l'autre, tante Ursula puis l'autre femme plus petite mais à la présence imposante.

Soudain, Thea crut la reconnaître.

Nana Buruku. Du Cercle vital !

Ce n'est donc pas une histoire propre aux Harman. On a affaire aux plus hautes instances.

– Il faut que nous parlions de certaines choses, dit Nana Buruku en posant des doigts couleur cannelle sur le bras de Thea.

La vieille Lincoln Continental de mamie attendait devant le trottoir. Ce fut Nana Buruku qui prit le volant.

À l'arrière, Dani et Thea se tenaient par la main. Celle de Dani était très froide.

La voiture parcourut une enfilade de rues peuplées de fêtards, jusqu'à un grand ranch encastré de hauts murs. La maison de Selene, comprit Thea en voyant le nom « Lucna » sur la boîte aux lettres.

Ce doit être là qu'ils ont prévu le Cercle de minuit des jeunes filles.

Tante Ursula sortit seule, laissant les autres attendre dans la voiture. Quelques minutes plus tard, elle revint, accompagnée de Blaise.

Selene, vêtue de vert, et Vivienne, en noir, les suivirent jusqu'au trottoir. Elles paraissaient paralysées par la peur et n'avaient rien de méchantes sorcières.

En revanche, c'était le cas de Blaise. Pieds nus malgré le froid, ses clochettes tintant dans la nuit, l'air furieuse et fière. Elle ouvrit brusquement la portière et s'assit près de Thea, qui dut sauter de côté pour lui faire de la place.

– Qu'est-ce qu'il y a ? s'écria-t-elle. Je vais manquer les croissants et tout le reste. On veut me gâcher mon Samhain ?

Jamais Thea ne l'avait autant admirée.

– On sera revenues à temps, assura Dani d'une voix ferme.

Thea les trouvait bien courageuses toutes les deux. *Et moi ?* Mais elle eut beau essayer, sa gorge était trop serrée pour lui permettre d'articuler un mot.

Elle s'attendait plus ou moins à voir Nana Buruku s'engager sur l'autoroute, en direction du désert, vers les terres de Thierry. Cependant, la Lincoln traversa des quartiers qu'elle connaissait mieux pour finir par les déposer devant la boutique de mamie.

Elle sentit le regard interrogateur de Dani se poser sur elle, mais n'avait aucune idée de ce qui se passait.

– On y va ! dit tante Ursula.

Elle leur ouvrit la portière et les précéda dans le magasin, à travers le rideau de perles qui menait à l'atelier.

Les sièges des étudiants de mamie avaient été disposés en cercle. Certains étaient déjà occupés par d'autres gens, mais un groupe restait debout, à bavarder. Pourtant, à l'entrée de Thea derrière Nana Buruku, tout le monde se tut.

Promenant les yeux de visage en visage, Thea distingua, comme dans un rêve, d'abord mamie Harman, l'air triste et fatigué, puis Mère Cybèle, la Mère du Cercle vital comme mamie en était l'Aïeule, toutes deux inquiètes ; Aradia, enfin, la Jeune Fille au beau visage grave et triste.

Elle reconnut d'autres personnes, tellement célèbres qu'elle ne les connaissait que par leurs prénoms : Rhys, Belfana, Creon, Old Bob.

Tante Ursula et Nana Buruku étaient les dernières des neuf.

À première vue, c'étaient des gens ordinaires qui travaillaient ou vivaient une retraite active, comme on en rencontrait partout dans la rue.

Mais tel n'était pas le cas.

Ils formaient en fait la plus forte concentration de mages actuellement vivants, des génies thaumaturges, des prodiges, des sages, des voyants, des professeurs, des décideurs. Le Cercle vital.

Ils avaient tous les yeux fixés sur Thea.

– Les filles sont là, annonça doucement Mère Cybèle à Aradia.

– C'est bien, dit mamie. Commençons. Asseyez-vous !

Elle parlait du ton impérieux de ceux à qui l'âge vaut le respect de tous.

Cependant elle refusait de regarder Thea. Et c'était là le plus terrible. Elle se comportait comme si les deux cousines n'étaient que des inconnues pour elle.

Le cercle s'élargit pour faire de la place aux nouvelles venues. Ses membres étaient vêtus de leurs habits de tous les jours, à commencer par Aradia, en jean, ou Old Bob, en bleu de travail.

Autrement dit, ils n'avaient pas entamé leur propre cérémonie de Samhain. Il fallait que la situation soit urgente !

Ils sont là pour me juger.

Belfana la rousse poussa le fauteuil à roulettes de Creon pour s'asseoir à son tour.

Je suis cernée.

Voilà que se réalisaient ses pires frayeurs, celles-là mêmes qui l'avaient poussée à fuir Eric dans le désert, lorsqu'elle avait compris qu'ils étaient des âmes sœurs. Et maintenant...

Elle entendait le souffle irrégulier de Dani et le léger tintement des clochettes de Blaise à côté d'elle.

– Très bien, dit mamie Harman d'un ton las mais ferme. Par la Terre, par l'Air, par l'Eau et par le Feu, j'appelle ce Conseil à l'unité.

Elle poursuivit en récitant la formule ancienne qui ouvrait les réunions de délibération.

Pour Thea, ces mots se mêlèrent aux battements qui lui martelaient les oreilles. C'était terrifiant de se retrouver ainsi entourée de tous ces gens ; où qu'elle regarde, elle ne rencontrait que des visages impénétrables, et se sentait prise au piège aussi sûrement que s'il s'était agi d'humains.

– Thea Sophia Harman, commença subitement mamie. Tu es accusée…

Une pause s'ensuivit, interminable, même si en réalité il ne s'agissait guère que de fractions de secondes.

– … d'avoir jeté des sorts interdits en transgression des lois d'Hellewise et de ce Conseil…

Tout ce que Thea entendit fut « d'avoir jeté des sorts interdits ». La formule semblait flotter dans l'air, se répercuter d'écho en écho. Quelque part, elle s'attendait à se voir accuser d'autres crimes plus terribles encore, tels que la trahison des secrets du Night World et les relations amoureuses avec un humain. Mais ce ne fut pas le cas.

– … d'avoir invoqué un esprit de l'au-delà du voile… d'avoir lié deux humains à l'aide d'un sortilège amoureux interdit…

Puis ce fut au tour de Blaise.

Elle était accusée d'avoir fabriqué un collier à l'aide de matériaux interdits et d'avoir lié deux humains à l'aide d'un sortilège interdit.

Dani fut accusée d'avoir aidé et encouragé Thea à invoquer un esprit de l'au-delà… et ce n'était pas bien, songeait Thea, prise de vertige.

Tout son corps frémissait, de la plante des pieds aux paumes, puis au sommet du crâne. De peur… mais aussi de quelque chose qui ressemblait à un certain soulagement.

Ils ne savent donc pas. Ils ignorent le pire, sinon ils en auraient parlé, forcément. Alors, si je me tiens tranquille, il n'y a aucune raison pour qu'ils l'apprennent.

Elle se concentra sur mamie, qui avait fini de lire l'acte d'accusation et reprenait de sa voix habituelle :

– Et je dois dire que vous m'avez déçue, toutes les trois. Surtout toi, Thea. Je m'y serais attendue de la part de celle-ci...

Elle désigna Blaise d'un mouvement du menton et reprit, à l'adresse du Conseil :

– ... mon autre petite-fille, qui s'est habillée comme la mauvaise fille d'Hécate. Mais, franchement, je croyais Thea plus avisée !

Elle paraissait sincèrement déçue, et cela rendait Thea malade ; elle qui avait toujours été la plus docile, la plus gentille, la plus proche de cette femme de la Terre. D'autant que tous les visages du Cercle présentaient la même expression désappointée.

Je les ai trahis, j'ai déshonoré ma lignée. J'ai tellement honte...

Si elle pouvait se replier sur elle-même et disparaître...

Ce fut alors que retentit un léger carillon. Blaise secouait la tête d'un air méprisant, arrogant, comme si elle s'ennuyait à mourir.

– J'aimerais bien savoir, gronda-t-elle à voix basse, qui nous a trahies. Parce qu'il va le regretter !

D'un seul coup, Thea eut moins peur. Après tout, sa grand-mère n'exprimait guère que de la déception. On pouvait donc offusquer le Cercle vital et garder la tête haute. L'attitude de Blaise le prouvait.

L'ironie de la situation avait maintenant quelque chose de frappant. Elle qui avait passé sa vie à se trouver en difficulté à cause de Blaise, voilà qu'elle mettait sa cousine dans la pire des situations.

Et Dani par la même occasion, la pauvre Dani aux beaux yeux pleins de larmes. Cette fois, Thea trouva la force de parler :

– Excusez-moi, mais j'ai quelque chose à dire avant de vous laisser poursuivre…

– Tu auras la parole tout à l'heure, rétorqua Mère Cybèle.

– Non, il faut que je parle maintenant.

Là-dessus, Thea se tourna vers mamie, comme si elle s'adressait davantage à sa grand-mère qu'à l'Aïeule du Cercle vital.

– Mamie, Dani n'a pas sa place ici. C'est vrai, elle n'était pas au courant pour l'invocation. C'est moi qui ai tout fait toute seule. Je le jure.

L'expression de mamie s'adoucit quelque peu mais reprit vite de son impassibilité.

– Très bien, nous verrons cela plus tard. Pour l'instant, il s'agit de savoir ce que tu as fait, puisque tout semble venir de toi.

Ce fut quand elle prononça les mots « plus tard » qu'un tsunami frappa Thea. Et alors, tout s'écroula.

Plus tard… au fait… quelle heure est-il ?

D'un regard anxieux, elle chercha une pendule quelque part. Là… derrière la tête grise d'Old Bob…

Dix heures moins dix. Eric…

Elle se sentait tellement stressée depuis que tante Ursula était venue la chercher qu'elle en avait complètement oublié qu'il l'attendait dans le désert.

Maintenant, elle le visualisait sans peine, aussi clairement que si elle se tenait en face de lui, en train de consulter sa montre toutes les trois minutes, de contempler le feu et les trois mannequins vêtus de noir, attachés à leurs poteaux.

Et la soirée de Halloween au lycée. Les portes de l'ancien gymnase qui s'ouvraient, les gens qui se ruaient à l'intérieur. Les chaussures qui piétinaient le plancher, les élèves déguisés sous les poupées sorcières suspendues. Les amateurs de sensations fortes qui se pressaient en riant devant les stands.

Alors qu'une chimère se cachait derrière les tuyaux du plafond, peut-être invisible, ou sous la forme d'une silhouette blanche qui soufflait comme un vent arctique. Ou sous l'aspect d'une femme aux cheveux d'acajou.

Qui se cachait, et soudain... qui fondait sur la foule...

Elle allait les tuer. Ils étaient complètement sans défense...

L'effroi sciait Thea sur place, aussi sûrement qu'une lame de métal.

C'était en train d'arriver en ce moment même, et elle ne faisait rien pour l'empêcher. Voilà près d'une heure que tout avait commencé, et elle n'y avait pas seulement songé.

15

– Thea ! implorait Dani en lui secouant le bras. On te parle !

Les visions avaient disparu. Thea se tenait dans l'atelier de mamie et avait l'impression de ne plus rien percevoir qu'à travers des tubes déformants. Les visages se tordaient, les voix s'étiraient.

– Je t'ai posé une question : où as-tu trouvé la formule de l'invocation aux esprits ? demandait mamie.

Eric. Il n'attendra pas ; il va commencer sans moi. Peut-être pas, je lui ai dit de ne pas bouger. Mais il va s'inquiéter à cause de la soirée…

La soirée. Tous ces élèves… même les plus petits. Des humains, mais des gens quand même. Menacés comme des poussins par un faucon. Combien vont finir comme Kevin ?

– La formule de l'invocation aux esprits ! criait mamie comme si Thea était dure d'oreille.

– Je… nous… je t'ai entendue à Samhain, il y a deux ans. Dans le Vermont. J'ai assisté à l'invocation du Cercle vital.

Sa propre voix lui parvenait altérée.

– On vous a vus, renchérit Blaise en agitant ses clochettes. Toutes les deux. On s'était cachées derrière des arbres et vous ne vous êtes aperçus de rien.

Dans son semi-brouillard, Thea sentit l'assistance réagir. Mais son esprit demeurait avant tout occupé par d'horribles pensées.

Eric… Seulement, si je tente de le joindre, si le Cercle vital découvre sa présence… ce sera son arrêt de mort. Un humain au courant de l'existence du Night World. Sentence de mort immédiate.

Pourtant, Suzanne… S'il brûle ces mannequins, Suzanne le tuera comme elle a tué Kevin.

Quoi qu'il arrive, Eric risquait la mort.

À moins que…

– Quel esprit as-tu invoqué ? interrogeait mamie.

Elle lui parlait maintenant comme à une demeurée.

À moins que…

– C'est ce que je vais vous dire, répondit Thea à la cantonade.

Elle savait ce qui allait s'ensuivre. Cela signifierait la mort pour elle, mais au moins pourrait-elle sauver Eric. S'il leur restait un peu de temps, si on la laissait seule une minute, si Eric n'était pas déjà en train de jouer les héros...

– Je suis prête à tout dire, lâcha-t-elle d'une seule traite, mais mamie, par pitié, il faut me laisser partir maintenant. Rien qu'un petit moment. J'ai quelque chose d'urgent à faire. Il faut absolument me laisser y aller, ensuite je reviendrai et vous ferez ce que vous voudrez de moi.

– Un instant ! intervint Mère Cybèle.

Mais Thea ne pouvait plus s'interrompre :

– Je t'en prie, mamie ! J'ai commis un acte terrible, et je suis la seule à pouvoir le réparer. Je reviendrai...

– Attends, attends ! dit mamie. Calme-toi ! Qu'est-ce qui te prend ? Parle plus lentement, pour commencer. Que veux-tu réparer ?

– Il faut que je la renvoie.

Thea comprit alors qu'elle allait devoir fournir des explications. Elle s'efforça donc de parler lentement et clairement, afin de se faire bien comprendre :

– L'esprit que j'ai libéré, mamie. Elle s'appelle Suzanne Blanchet et elle a été brûlée au XVIIe siècle. Elle se terre là-bas et elle a déjà tué un humain.

Tout le monde l'écoutait maintenant, certains penchés en avant, d'autres faisant la grimace. Elle s'adressait à chacun d'eux, toujours tremblante d'angoisse, mais peu importait. Eric passait avant toute autre considération.

– La semaine dernière, elle a tué un élève de mon lycée. Et ce soir, elle va faire pire encore, à la fête de Halloween. Je ne peux pas expliquer comment je le sais... ce serait trop long. Mais je le sais. Et je suis la seule à pouvoir l'arrêter. Je l'ai invoquée, c'est à moi de la renvoyer.

– Malheureusement, ce n'est pas aussi facile, articula une voix grave. Si cet esprit erre dans la nature...

Thea se retourna et reconnut Rhys, un homme maigre en blouse blanche de laborantin.

– Je suis au courant, mais j'ai trouvé le moyen de lui tendre un piège. Tout est prêt, et je...

Elle hésita, puis :

– J'ai demandé à quelqu'un de m'aider, sans lui dire de quoi il s'agissait vraiment. Seulement, il est en danger maintenant. C'est pour ça que vous devez me laisser aller le retrouver. Je vous en prie !

– En fait, tu veux te rendre au lycée pour ne pas manquer cette soirée, lâcha tante Ursula.

Malgré sa bouche serrée, elle n'avait pas l'air en colère. Plutôt... amusée.

Thea s'apprêtait à répondre que non quand elle s'arrêta, perplexe.

Le lycée ou le désert ? Si Suzanne voulait vraiment tuer des gens, c'était à la fête qu'elle se rendrait. Mais seulement si Eric n'avait rien entrepris pour l'attirer dans le désert. Pour peu qu'il ait suivi le conseil de Thea et rien fait sans elle, Suzanne devait traîner du côté du lycée et pouvait commencer à tuer avant de se laisser entraîner ailleurs...

Je vais devenir folle.

Thea se sentait sur le point de défaillir, la tête ballottée entre les flots. Il y avait trop d'éventualités. Tout dépendait de ce que pouvait faire Suzanne en ce moment. Et cela, nul ne saurait le dire.

La vue brouillée, elle se sentit vaciller.

Je ne sais pas quoi faire.

– Pardon... Écoutez-moi, tous ! Je vois quelque chose.

C'était la voix d'Aradia, paisible, maîtresse d'elle-même, mûre, même si elle était à peine plus âgée que Thea.

– Je crois que c'est quelque chose d'important, à propos de ce dont nous parlons.

Elle tournait vers Thea son beau visage à la peau café au lait, mais ses grands yeux bruns regardaient dans le vide, comme toujours.

Car Aradia ne voyait pas avec ses yeux, c'était son esprit qui la guidait et lui faisait entrevoir des choses que les autres ne pouvaient repérer.

– Je vois un garçon… il porte un costume à l'ancienne. Il se tient devant un feu, dans un cercle de pierres.

Eric…

– Il tient un bâton… non, un tisonnier. Il regarde autour de lui. Il va maintenant… on dirait un épouvantail. Je ne distingue pas très bien. Il y a une pile de petit bois en dessous. Il se penche. Il allume les brindilles.

Non !

– Il faut que j'y aille ! s'écria Thea.

Elle ne demandait plus l'autorisation.

Aradia continuait :

– Voilà, les brindilles s'embrasent. Je vois mieux maintenant… et ce n'est pas un épouvantail ; on dirait une sorte de sorcière, une poupée.

Elle s'arrêta, écarquillant ses beaux yeux aveugles.

– Ça… ça bouge. Non, il y a quelque chose qui la fait bouger… un esprit. Qui sort maintenant… qui va vers le garçon…

– Il faut que j'y aille ! répéta Thea.

Là-dessus, elle se leva, se faufila entre Rhys et Old Bob, brisant ainsi le cercle. Les perles du rideau lui heurtèrent le visage et retombèrent en cliquetant.

– Thea, attends !

– Thea, reviens !

– Ursula, va la chercher…

La Jeep. Ma besace est dans la Jeep. Je dois d'abord aller la chercher.

La clef de la Lincoln était accrochée à un clou près de l'entrée. Thea l'attrapa au passage.

Elle déboucha dans la rue à l'instant où trois personnes franchissaient le rideau de perles, et leur claqua la porte au nez.

La voiture. Vite. Au volant.

Elle amorça une marche arrière en faisant crisser les pneus et vit la lumière s'allumer dans la boutique. Trop tard, elle venait de s'engager dans Barren Street.

Eric…

Conduisant presque à l'instinct, elle remonta rue après rue jusqu'à se retrouver devant le club du Night World avec ses citrouilles à l'entrée.

Aucune place libre pour garer la Lincoln, alors elle l'abandonna au milieu de la chaussée, laissant les clefs sur le contact, courut vers la Jeep tout en sortant l'autre trousseau de sa ceinture, sauta dedans.

Vite ! Vite ! Nouveau démarrage pied au plancher.

Vite ! L'autoroute.

Eric…

Que je le rejoigne à temps, c'est tout ce que je demande ! Après, plus rien n'a d'importance.

Tu es prête à tout sacrifier ?

La voix ne lui paraissait plus étrangère, cette fois, ni menaçante. Juste curieuse. Et Thea savait quoi répondre.

Oui.

Oui, si je peux arriver à temps, si je peux le tirer de là. Je lui raconterai n'importe quoi pour le convaincre de s'éloigner, de se cacher. Je dirai au Cercle que je l'avais forcé, non, que je l'avais berné ou même ensorcelé pour qu'il fasse ce que je voulais ; je ne leur dirai même pas son nom. Ils ne peuvent pas m'y forcer.

Quoi qu'ils me fassent, il ne risquera rien. C'est tout ce que je veux. C'est tout ce que je demande.

Mais c'était déjà beaucoup et elle le savait bien, aussi gardait-elle le pied sur l'accélérateur.

Rampe de sortie. Voie latérale.

Elle roulait à une allure folle. Dans sa tête, les battements lancinants lui répétaient *fonce, fonce,* alors qu'elle prenait ses virages sur les chapeaux de roue.

Eric, fais quelque chose. Parle-lui. Fuis. Tu es si intelligent ! Je t'en prie, c'est le moment ou jamais de le montrer. Ne la laisse pas s'approcher, ni t'entourer le cou de ses cheveux...

Que valait la puissance d'un esprit ? Thea n'en savait rien.

Pitié ! J'y vois si clair, maintenant ! J'ai été si égoïste, je ne pensais qu'à moi, à ce qui ferait mon bonheur. Tant qu'Eric va bien, je me fiche qu'il vive sur Mars, je me fiche de ne jamais le revoir. Tant qu'il est heureux, je suis la plus heureuse des femmes.

Un cahot la fit claquer des dents. Elle avait quitté la route pour ne plus suivre qu'une piste en fonction de ses points de repère, à travers des forêts de yuccas morts qui ressemblaient à autant de cousins Machin.

C'est si loin ! Ça prend trop de temps. Vite ! Vite !

Elle apercevait les collines de grès, les piliers dans le lointain.

Ça y est ! Vite !

La Jeep tressaillit sur des branchages desséchés. Thea repéra la lueur des flammes dans un creux et fonça droit devant elle.

Le feu... un mouvement... une silhouette.

– Eric !

Elle criait encore en écrasant ses freins. La Jeep pila net à quelques centimètres d'une colonne de grès.

– Eric !

Sa besace à la main, elle ouvrit la portière et sortit en courant.

– Thea ! Éloigne-toi !

Elle le vit.

Le feu jetait une lueur rougeâtre sur le grès écarlate ; toute la scène semblait baignée dans le sang, et le grondement du moteur derrière le crépitement des flammes évoquait les rugissements de l'enfer.

Mais Eric était vivant et résistait. Résistait à la chose.

Thea se jeta dessus alors que son cerveau n'en était encore qu'à enregistrer des impressions.

Une apparition prit soudain la forme d'une femme pour se dissoudre aussitôt en nuage, en partie enroulée autour d'Eric qui se tenait la gorge à deux mains. À ses pieds gisaient les restes de l'amulette à base d'aiguilles de pin que lui avait fabriquée Thea.

– Laissez-le tranquille ! s'écria-t-elle. C'est moi qui ai organisé tout ça.

Et elle tendit les bras vers Eric pour attraper la forme autour de sa gorge, mais ses paumes se fermèrent sur les poignets du garçon.

– Non... Thea, attention...

La chose s'éloigna d'Eric qui tressaillit, mais Thea la vit se reformer, se rassembler et fondre sur elle.

– Thea ! cria-t-il en se précipitant.

Un courant d'air passa.

Tous deux tombèrent à la renverse.

– Eric, va-t'en ! haleta-t-elle avant de se relever.

Elle tenta de le pousser tout en cherchant la chimère du regard.

– Va-t'en vite ! Le moteur de la Jeep tourne. Je t'appellerai tout à l'heure.

– Reste allongée. Elle est d'une extraordinaire rapidité. Tu sais très bien que je n'irai nulle part sans toi.

– C'est une affaire de sorcières ! Tu me gênes plutôt qu'autre chose.

Elle parvint même à mettre une touche d'exaspération dans sa voix. Cependant, Eric l'attrapait par les épaules en hurlant :

– Je t'ai dit que je ne bougeai pas d'ici, alors arrête de nous faire perdre du temps !

Là-dessus, il se pencha sur elle tandis qu'un nouveau courant d'air glacé les frôlait.

– Pardon, reprit-il d'un ton apaisé. Ça va ?

Thea regarda autour d'elle. La chimère allait et venait sous la forme d'une femme vaporeuse, aux membres imprécis mais à la longue queue-de-cheval virevoltante.

– J'ai apporté ce qu'il faut, souffla Thea à l'oreille d'Eric. Seulement, j'aurais besoin de plusieurs minutes pour préparer le rituel. On va devoir se méfier…

Elle avait eu beau surveiller la chevelure, elle ne réagit pas assez vite. Dans un claquement qui tenait autant du coup de fouet que de la décharge électrique, la queue-de-cheval lui entoura le cou.

Le contact lui donna d'abord une impression de froid glacial, jusqu'à ce que l'étreinte se resserre, tel un tuyau métallique empli d'eau à demi gelée, une sorte de tentacule de monstre qui aurait de la glace dans les veines.

Thea ne pouvait plus respirer, pas plus qu'elle ne pouvait glisser les doigts par-dessous pour se libérer, et la compression devenait si violente qu'elle crut que ses yeux allaient lui jaillir de la tête.

– Regarde-moi ! hurla Eric.

Armé d'un tison ardent, il semblait danser comme un extraterrestre de l'autre côté du feu.

– Regarde, Suzanne ! Je vais questionner ta petite sœur !

Il fourra la braise dans le mannequin représentant Lucienne.

– Là ! Là ! Ça te plaît, ça ?

Les vêtements noirs s'enflammèrent aussitôt.

– Avoue que tu es une sorcière !

Thea sentit la tension s'alléger et son cou se libérer.

Elle voulut prévenir Eric de se méfier, mais ne parvint qu'à émettre un son rauque. De toute façon, il avait plongé sur le côté.

Ce doit être ce qu'il fait depuis le début.

– Eric, tiens bon !

– D'accord, mais dépêche-toi !

Il se redressa, se jeta en avant.

Elle s'efforça de ne plus penser à lui. Sa besace l'attendait toujours au bord du cercle, là où elle l'avait lâchée. Elle l'attrapa et la vida sur le sol.

Il s'agissait de ne pas commettre d'erreur, maintenant, et de mettre à profit toute son expérience pour procéder vite et bien.

Chêne et frêne. Elle les jeta dans le foyer puis en approcha les autres éléments, ouvrit un sac de plastique dont elle tira les rondelles de quassia, si légères qu'il lui fallut agiter le poing pour s'assurer de bien les répandre au milieu des flammes. Le chardon bénit était en poudre, elle n'eut qu'à le verser. La racine de mandragore l'y rejoignit.

Thea s'emparait du flacon de potion, lorsque Eric lui cria de se baisser.

Elle obtempéra sans vérifier d'où venait la menace. Ce qui la sauva. Un coup de vent glacial faillit envoyer ses cheveux dans le feu.

– Suzanne ! criait Eric. Je tiens ton frère ! Regarde !

Les trois bûchers brûlaient maintenant et il donnait des coups sur les trois mannequins l'un après l'autre.

Thea ôta la capsule du flacon avec ses dents et la renversa au-dessus du foyer, à mains nues.

Une, deux, trois.

Le feu rugit, plus violent que jamais. Cette fois, Thea recula.

– Suzanne ! Par ici !

La voix d'Eric en devenait presque inaudible.

Le visage plein de larmes, le nez et la gorge irrités par l'âcre fumée, Thea cherchait le dernier objet nécessaire à la révocation de l'esprit... le sac de résidus récupérés dans la coupe de bronze. Elle en prit une poignée dans la paume gauche et la dispersa sur les braises au bord du foyer.

Après quoi elle se leva... pour découvrir Eric en mauvaise posture.

Il avait perdu son tison et la chimère le tenait par la gorge en tournoyant autour de lui et en changeant de forme sans cesse. Il ouvrait grande la bouche, mais aucun son ne s'en échappait.

– Puissé-je recevoir la puissance de la parole d'Hécate !

Elle avait hurlé ces mots en direction des flammes, et surtout de la forme changeante qui se mouvait derrière.

Alors monta la conjuration, reprise par sa propre voix sans qu'elle sache d'où provenaient les mots :

– Du cœur de la flamme... je te révoque ! Par l'étroit chemin... je te révoque !

Elle y mit pourtant toute son énergie, vociférant de tous ses poumons avec une autorité qu'elle ne se connaissait pas. Parce que la chimère résistait, qu'elle ne voulait pas partir.

– Vers les profondeurs du vide... je te révoque ! À travers la brume des ans... je te révoque !

Eric se débattait, tressautait, comme soulevé dans les airs par l'esprit récalcitrant.

– Par-delà le voile... je te révoque ! Va-t'en, hâte-toi, fais diligence !

Eric battait des pieds en l'air. *C'est comme ça qu'est mort Kevin,* comprit soudain Thea.

Elle s'entendit encore articuler des formules dont elle n'avait même pas idée :

– Par la puissance de la Terre, de l'Air et de l'Eau. Par la puissance du Feu de cette nuit d'Hécate ! Par ma propre puissance en tant que fille d'Hellewise ! Va-t'en, hâte-toi, fais diligence, chienne !

Elle ignorait d'où cela provenait, et pourtant Eric retomba dans l'instant. La chimère l'avait lâché.

Elle se jeta sur Thea, mais s'arrêta net, comme si elle venait de heurter un mur invisible. Juste au-dessus du feu.

Piégée.

Les flammes bleues crachaient de la fumée par les côtés, car au centre Thea distinguait clairement la femme dont l'esprit était venu les tourmenter.

Une jeune fille plus âgée que Thea, mais qui n'avait pas vingt ans, aux longs cheveux sombres, au teint pâle, aux grands yeux éplorés, la bouche entrouverte comme si elle tentait de parler.

Thea s'entendit murmurer :

– Suzanne...

La jeune fille tendit vers elle une main blême, mais à cet instant les flammes redoublèrent, s'attaquant à sa chevelure, et son expression se teinta d'une infinie tristesse.

Instinctivement, Thea tendit la main...

Le feu rugit...

Un éclair jaillit.

Suzanne venait d'être happée par le brasier et un cône se formait au-dessus : l'étroit chemin.

Des sacs de plastique et d'autres débris s'envolèrent autour du cercle, comme pris dans un tourbillon.

Suzanne et le cône de l'éclair blanc se fondirent l'un dans l'autre.

Vers les profondeurs du vide. À travers la brume des ans.

Les flammes montèrent plus haut que la tête de Thea, pour aussitôt diminuer. La lueur bleue retomba vers le centre, et ce fut de nouveau le jaune des feux ordinaires qui domina.

Comme si un voile venait de s'abaisser.

Par-delà le voile.

Là où était repartie Suzanne.

Au bord du foyer, là où le résidu avait été déposé, apparaissait une masse d'argile ramolli. Thea s'agenouilla pour la recueillir et aperçut, au milieu des braises, une longue mèche acajou qui commençait à brûler elle aussi.

Elle la saisit et l'enroula autour de l'argile. Ce n'était pas très joli à voir, Blaise aurait certainement fait cela beaucoup mieux qu'elle, mais la mèche serait ainsi sauvegardée. À tâtons, elle chercha le sceau de bois, le trouva, l'appuya contre l'argile. Le symbole de Suzanne, le signe cabalistique de son nom s'y trouva ainsi imprimé.

C'était fait.

L'amulette existait de nouveau, Suzanne ne reviendrait pas de son monde, à moins que quelqu'un d'autre ne commette encore la bêtise de l'invoquer.

Thea jeta l'amulette dans sa besace, se leva et se précipita vers Eric, qu'elle distinguait à peine dans la nuit.

Après tout ce qui vient de se passer... il doit s'en être tiré... c'est obligé...

Quand elle arriva à sa hauteur, il remua.

– Eric, on a réussi ! Elle est partie, on a réussi !

Il sourit faiblement, articula d'une voix cassée :

– Pas la peine de pleurer.

Elle ne s'en était même pas rendu compte.

Il s'assit, échevelé, plein de terre et de poussière, l'air exténué. Elle le trouva magnifique.

– On a réussi, répéta-t-elle doucement.

D'un geste tendre, elle lui remit un peu d'ordre dans les cheveux, et laissa la main sur sa tête.

Les yeux fixés vers les flammes, à son tour il marmonna :

– Je lui ai dit des choses abominables. Même si elle a commis des crimes…

Il lui caressa la gorge :

– Ça va ? demanda-t-il. Je crois que tu as un bleu.

– Moi ? Si tu voyais les tiens ! Mais je te comprends, moi aussi, j'étais désolée pour elle… à la fin.

– Ne pleure plus, je t'en prie ! J'ai horreur de ça.

Finalement, ce fut lui qui la prit dans ses bras.

Et ils s'embrassèrent éperdument, follement. Ils riaient, ils s'embrassaient, ils s'étreignaient. Elle sentait ses propres larmes sur la bouche d'Eric, se réchauffait de sa chaleur, tout en tremblant comme un oiseau.

Soudain, ils furent interrompus par un bruit proche. Thea ne voulut pas bouger, mais ce fut Eric qui se raidit.

– Aïe ! On a de la visite.

Elle tourna la tête.

Les voitures stationnaient à hauteur des colonnes de grès. Elles avaient dû arriver pendant la bagarre avec Suzanne, alors que les rugissements du feu couvraient le bruit des moteurs et que l'attention de Thea se concentrait sur la chimère qui en voulait à sa vie.

Parce que les gens sortaient maintenant des habitacles. Mamie Harman, soutenue par tante Ursula. Rhys, dans sa blouse blanche. La silhouette rondouillarde de Mère Cybèle qui s'accrochait au bras d'Aradia. Old Bob, Nana Buruku.

Presque tout le Cercle vital était là.

16

Thea commença par lâcher Eric. Elle pouvait encore tenter de le sauver.

Mais il ne voulait pas partir, et instinctivement elle se raccrochait à lui.

Ils se relevèrent ensemble pour faire face au Cercle vital.

– Bien, commença Mère Cybèle en clignant des paupières. C'est Aradia qui nous a menés jusqu'ici parce qu'elle pensait que tu aurais besoin d'aide. Mais je vois que vous avez fort bien pris les choses en main, tous les deux. Nous avons assisté à la fin du rituel. Très impressionnant.

– Moi aussi, je l'ai vu, dit Aradia avec un léger sourire. Tu t'en es magnifiquement sortie, Thea Harman. Tu es une vraie femme de la Terre.

– Oui, intervint mamie, appuyée sur la canne de Rhys, mais d'où provenait cette incantation ? De ma vie je n'avais entendu quiconque en appeler à sa propre puissance en tant que fille d'Hellewise.

Elle avait grommelé ces paroles d'un ton réprobateur, et pourtant Thea gardait l'intime conviction qu'au fond sa grand-mère était ravie.

Sans lâcher la main d'Eric, elle leur fit face, à la Jeune Fille, à la Mère, à l'Aïeule du Cercle vital.

– Je ne sais pas d'où ça venait, avoua-t-elle d'une voix plus ferme qu'elle ne l'aurait cru. Ça m'est juste... venu comme ça.

– Et vous, jeune homme ? Quel est votre nom ?

– Eric Ross.

Thea fut fière de la façon dont il répondait, poliment, mais sûr de lui. Et mamie les regarda l'un après l'autre.

– Vous avez accompli ce rituel avec ma petite-fille ?

– Il ne sait rien... commença celle-ci.

Intervention aussi désespérée que ridicule. Elle s'en rendit compte immédiatement.

– Je sais que j'aime Thea, coupa-t-il. Et qu'elle m'aime. Et s'il existe une loi qui nous interdit de vivre ensemble, c'est une loi idiote.

Il avait ainsi l'air terriblement jeune et audacieux. Prise de vertige, Thea lui étreignit la paume au point de lui transmettre ses propres tremblements. Elle prenait soudain conscience que sa main droite était sérieusement brûlée.

– Mamie, s'il te plaît, laisse-le partir !

Comme sa grand-mère ne disait rien, elle insista :

– Je t'en prie... Je ne le reverrai jamais, et il ne dira rien à personne. Il n'a fait que m'aider pour sauver des vies. Je t'en supplie, ne le punis pas pour la faute que j'ai commise.

Ses yeux la brûlaient et bientôt ils se remirent à répandre des larmes.

– Il a tenté de faire respecter la loi, intervint Aradia. Du moins, c'est l'impression que j'en retire.

Thea n'était pas certaine d'avoir bien entendu. Pas plus que mamie, d'ailleurs :

– Pardon ? s'exclama-t-elle.

– Hellewise a décrété qu'il était interdit aux sorcières de tuer des humains, il me semble ! Or, cet esprit errant était bien celui d'une sorcière qui avait déjà tué un humain et aspirait à en tuer d'autres. Ce jeune homme a aidé à le renvoyer dans l'au-delà. Il a aidé Thea à conjurer un sort interdit, à empêcher que la loi des sorcières ne soit à nouveau transgressée.

– C'est clair ! apprécia Rhys.

Cependant, Thea n'aurait su dire s'il approuvait ou non.

Mamie effectua un pas vers Eric.

– Et qu'avez-vous fait au juste pour rendre ce service, jeune homme ?

– Je ne sais pas si j'ai rendu service ou non, tout ce que je sais, c'est que j'ai empêché cette chose de me tuer…

– Quand est-ce que tu as allumé les feux ? demanda Thea sans lui lâcher la main.

Un coup d'œil rapide vers elle, la bouche qui souriait juste d'un côté… il finit par répondre :

– À neuf heures pile.

– Alors que je n'étais pas là ! conclut-elle en montant d'un ton. Tu savais que Suzanne allait venir s'en prendre à toi et tu ne connaissais aucun rituel magique pour la chasser. Alors, pourquoi est-ce que tu as fait ça ?

À son tour, il promenait un regard caustique entre elle et sa grand-mère.

– Tu sais très bien pourquoi. Parce que sinon, elle serait partie à la fête de Halloween.

– Pour y tuer d'autres gens, précisa Thea à l'adresse de mamie.

Celle-ci considérait Eric d'un air quasi attendri :

– Ainsi, vous avez sauvé des vies ?

– Je ne sais pas, souffla-t-il avec son irritante honnêteté. En tout cas, je ne voulais pas prendre de risque.

– À moi aussi, il m'a sauvé la vie, reprit Thea. Suzanne m'a attaquée, et je n'aurais jamais pu jeter ce sort de révocation s'il ne l'avait pas distraite à ce moment-là.

– Fort bien, lança Old Bob en frottant son menton mal rasé. Mais je ne crois pas que ce soit suffisant. Rien ne dit que parce qu'on a aidé à faire respecter une loi, on peut en transgresser une autre. Surtout pas celle du Night World. Ce serait la porte ouverte à toutes sortes d'excès.

Mère Cybèle et mamie échangèrent un coup d'œil, puis cette dernière se tourna vers le vieil homme :

– J'ai changé tes couches quand tu étais petit, alors ce n'est pas toi qui vas me dire maintenant comment interpréter la loi du Night World ! Je n'ai pas d'ordres à recevoir d'une bande de vampires assoiffés de sang !

Elle s'adressa ensuite à tous les membres du Cercle :

– Cela mérite une discussion à tête reposée. Rentrons chez moi.

Sur le chemin cahoteux du retour, Thea se reprenait à espérer.

C'était Eric qui conduisait la Jeep, tante Ursula à côté de lui. Thea se trouvait derrière, si bien que les deux jeunes gens ne pouvaient parler tranquillement.

Mamie a pris mon parti, ainsi qu'Aradia et sans doute aussi Mère Cybèle. Elles ne veulent pas ma mort. Peut-être même pas celle d'Eric.

Cependant, la réalité ne cessait de revenir s'imposer à elle.

Que peuvent-elles faire ? Elles ne vont pas laisser une sorcière et un humain vivre ensemble. Elles ne peuvent risquer de se mettre en porte-à-faux avec le reste du Night World, même pas pour moi.

Il n'y a pas de solution.

La petite caravane se gara dans la ruelle derrière le magasin de mamie.

Et Thea se retrouva dans l'atelier, face au cercle des sièges. Creon et Belfana les y attendaient, ainsi que Blaise et Dani.

– Ça va ? demanda celle-ci en se levant.

Elle n'en dit pas plus, bouche bée parce qu'elle venait d'apercevoir Eric. Un humain dans le Cercle.

– On a renvoyé Suzanne, annonça simplement Thea.

Là-dessus, elle reprit la main d'Eric.

Le Cercle vital se reforma autour de ce couple improbable, sorcière et humain, placé en son centre.

– La situation est préoccupante, commença mamie.

Elle exposa les faits dont tous, sans doute, étaient déjà au courant. Cependant, elle se donna la peine de n'omettre aucun détail, regardant tour à tour chacun de ses interlocuteurs. Aradia et Mère Cybèle l'encadraient, faisant parfois des remarques.

Thea comprit en quelques minutes ce qui se passait vraiment. L'Aïeule cherchait tout simplement à les convaincre, en leur montrant que la Mère et la Jeune Fille étaient déjà gagnées à sa cause.

– En fin de compte, conclut-elle, nous nous retrouvons avec ces deux-là sur les bras, et il nous faut décider qu'en faire. Car cette décision revient au Cercle vital, aux fils et filles d'Hellewise. Pas au Conseil du Night World.

Sur quoi, elle fixa Old Bob.

Celui-ci se passa la main dans les cheveux, puis maugréa :

– Le Conseil pourrait bien ne pas partager cet avis.

Cependant, il souriait.

– Il fut un temps, reprit mamie, où sorcières et humains s'entendaient beaucoup mieux qu'aujourd'hui. Je suis certaine que tous ceux qui sont remontés assez loin dans leur arbre généalogique le savent.

Mère Cybèle intervint alors :

– Ce qui veut dire qu'autrefois nous prenions nos époux parmi les humains, parce qu'il n'y a jamais eu assez d'hommes dans notre monde de sorcières. C'était à l'époque où existait encore le Troisième Cercle, le Cercle de l'aube. Celui qui voulait enseigner la magie aux humains.

– Jusqu'à ce que ceux-là se mettent à nous brûler, objecta Belfana, l'air grave sous son chignon roux.

– Ce jeune homme ne risque de brûler personne, lança tante Ursula d'un ton acide.

Et Thea s'avisa qu'au fond elle l'adorait.

– Personne ne prétend non plus qu'il faille changer les lois, affirma Mère Cybèle en croisant ses doigts boudinés. Cette époque maudite ne reviendra pas et nous connaissons tous le danger représenté par les humains. Il s'agit seulement de savoir s'il existe un moyen de faire une exception, dans ce cas-là.

– Je ne vois pas comment, articula Rhys. À moins de nous laisser tous accuser de trahison.

– La guerre du Night World va reprendre ! ajouta Nana Buruku. Toutes les races des créatures de la nuit dressées les unes contre les autres.

– Je ne veux aucun mal à ces jeunes gens, assura Creon de son fauteuil à roulettes. Mais ils ne peuvent pas vivre dans notre monde, pas plus que dans le monde des humains.

Ce *qui résume parfaitement la situation,* songea Thea. *Pas de place pour nous. Pas tant que l'un des deux sera humain, l'autre sorcière...*

Alors, l'idée jaillit comme un éclair.

Si simple. Et pourtant si terrifiante...

Ça pourrait marcher...

Mais est-ce que je le supporterais ?

Tu es prête à tout sacrifier ?

Tout... y compris mamie et Blaise, Dani et Lawai'a et la cousine Celestine, oncle Galen, tante Gerdeth, tante Ursula... Selene et Vivienne, tous ceux du Cercle du crépuscule.

Et aussi le parfum des herbes aromatiques, la lavande mêlée aux pétales de roses. Le baiser des pierres froides dans ses paumes. Tous les chants, toutes les invocations... tous les sortilèges qu'elle avait appris. Cette impression que la magie lui coulait des doigts. Jusqu'au souvenir d'Hellewise...

Hellewise dans son fourreau blanc, dans la forêt obscure...

Tu es prête à tout sacrifier... pour la paix ?

Pour Eric ?

Cette fois, la voix provenait de son for intérieur. Et en jetant un coup d'œil vers Eric, Thea sut la réponse.

Il était si bon, elle l'aimait tant ! Si tendre, si fort, si intelligent, si courageux, honnête et perspicace... et amoureux.

Il m'aime. Il était prêt à donner sa vie pour moi.

Il est prêt à tout sacrifier.

Lui aussi la dévisageait de son regard gris-vert inquiet. Il sentait bien le combat qu'elle se livrait intérieurement.

Elle lui sourit. Elle constatait non sans fierté que même au milieu de ce cercle, entouré de gens qui devaient évoquer pour lui des personnages de terribles légendes, il parvenait encore à lui rendre son sourire.

– J'ai une idée ! lança-t-elle à la cantonade. La coupe de Léthé.

Ce fut d'abord un silence qui lui répondit. Mamie paraissait stupéfaite.

– Pas juste pour lui, précisa Thea. Pour moi aussi.

De longs soupirs s'élevèrent dans le silence.

Mamie ferma les yeux.

– Si j'en buvais assez, j'oublierais tout, continua Thea. Tout du Night World. Je ne serais plus sorcière, parce que je ne me rappellerais pas qui je suis.

– Tu deviendrais une sorcière dépossédée, dit Aradia. Comme les médiums qui ne connaissent pas leur héritage. Et les sorcières dépossédées peuvent vivre avec les humains.

– Et ni lui ni moi ne nous souviendrions du Night World, reprit Thea. Alors, comment pourrions-nous en enfreindre les règles ?

– La loi serait ainsi observée, dit Aradia.

Eric serra la main de Thea :

– Attends...

Elle leva la tête vers lui :

– C'est le seul moyen pour qu'on reste ensemble.

Il n'insista pas.

Un long silence s'ensuivit.

Jusqu'à ce que Blaise, qui était restée debout les bras croisés, laisse tomber :

– Elle m'a dit qu'il était son âme sœur.

Un instant, Thea crut que sa cousine disait ça par dépit, pour la blesser.

Cependant, mamie relevait avec surprise :

– Âmes sœurs ! Voilà un moment que je n'avais plus entendu évoquer cette notion.

– Un mythe archaïque, grommela Rhys.

– Pas forcément, rétorqua Mère Cybèle. Qui sait si les anciens ne sont pas en train de se réveiller, s'ils ne veulent pas nous dire quelque chose ?

Mamie contemplait le sol. Quand elle se retourna vers Thea, elle avait les yeux pleins de larmes, et pour la première fois lui parut âgée, fatiguée.

– Si nous te laissions faire ça, déclara-t-elle, si nous te laissions renoncer à ton héritage et nous quitter... où irais-tu ?

Ce fut Eric qui répondit :

– Nous habiterions ensemble. Ma mère et ma sœur l'aiment déjà beaucoup et savent qu'elle est orpheline. Si j'annonce à ma mère que Thea ne peut plus rester ici... je suis sûr qu'elle acceptera de la prendre chez nous.

– Très bien, lâcha mamie.

Eric n'avait pas précisé que sa mère la plaignait déjà de vivre dans un milieu instable auprès d'une vieille dame déséquilibrée, cependant Thea eut l'impression que cette dernière s'en doutait.

Nouveau silence. Mamie observa longuement tous les membres du Cercle, avant de laisser échapper un soupir.

– Je pense que cette jeune fille nous a offert une porte de sortie. Quelqu'un s'y oppose-t-il ?

Personne ne dit mot. Les physionomies exprimaient la pitié. *Ils estiment que je vais affronter un sort pire que la mort.*

Blaise reprit soudain la parole :

– Je vais chercher la coupe.

Sans attendre de réponse, elle fila à travers le rideau de perles.

Bon, après tout, autant faire vite, songea Thea le cœur battant. Sous les doigts d'Eric, la peau de sa main brûlée la faisait souffrir.

– Ça ira tout seul, lui glissa-t-elle. Tu verras, au début on ne saura plus où on est... puis tout nous reviendra... sauf ce qui a trait à la magie.

– Tu pourras te lancer dans la zoologie, répondit-il. Et t'inscrire à l'université de Davis.

Il souriait, mais ses yeux brillaient un peu trop.

Dani s'avança vers eux :

– Est-ce que... est-ce que je pourrais juste vous dire au revoir ?

Là-dessus, elle se jeta dans les bras de Thea.

Celle-ci la serra contre son cœur.

– Désolée de t'avoir causé des ennuis, chuchota-t-elle.

– Pas du tout… Tu as dit que je n'y étais pour rien. Je ne risque pas grand-chose. Sauf que je me sentirai très seule au lycée, sans toi…

Dani recula en retenant ses pleurs.

– Bonne chance !

Les petites clochettes annoncèrent le retour de Blaise ; elle apportait un calice d'étain dans une main, une bouteille dans l'autre.

À cette vue, Thea frissonna. Les années en avaient tellement opacifié et altéré le verre qu'on n'aurait su dire quelle était sa couleur originelle, encore moins sa forme. Le bouchon en était cacheté par de la cire et toutes sortes de sceaux et de rubans.

Mamie entreprit de les arracher, mais ne parvint pas à tourner le bouchon pour autant, si bien que Blaise dut lui prêter main-forte.

Après quoi, mamie renversa la bouteille au-dessus de la coupe.

Un liquide brun s'en écoula. Elle en versa la moitié.

– Quand tu auras bu ceci, dit-elle à Thea, tu m'oublieras. Tu ne connaîtras plus personne ici. Mais nous ne t'oublierons pas.

Après quoi, elle enchaîna d'un ton plus solennel :

– Thea Sophia Harman, qu'il soit dit que tu es une véritable fille d'Hellewise.

Elle l'embrassa sur la joue. Thea étreignit son corps fragile pour la dernière fois.

– Au revoir, mamie. Je t'aime.

Puis ce fut au tour de Blaise, magnifique, ses cheveux formant une noire cataracte autour d'elle, ses mains blanches serrées sur l'étain sombre de la coupe qu'elle lui présentait en souriant.

– Au revoir, dit Thea en la lui prenant.

Vas-y. N'hésite pas. N'y réfléchis même pas.

Portant la coupe à ses lèvres, elle but, grimaça légèrement à la première gorgée. Cela avait le goût de…

Son regard croisa celui de Blaise.

Ces immenses prunelles grises et lumineuses. Qui la fixaient sans faiblir. L'air de la prévenir.

Thea continua de boire.

Du thé. Du thé glacé coupé d'eau. Voilà quel était le goût de la coupe de Léthé.

Pourtant, cette bouteille était scellée… sa cousine n'avait pas eu le temps… il y avait de la cire sur le bouchon…

Le cerveau bouillonnant, Thea eut cependant la présence d'esprit d'en boire une grande quantité. Afin qu'il ne reste rien après le passage d'Eric et que le Cercle ne puisse pas contrôler le liquide.

L'expression impavide, elle laissa Blaise reprendre la coupe et la tendre à Eric.

Celui-ci la porta à sa bouche, parut légèrement surpris mais continua à boire sans se faire prier.

– Bois bien tout ! commanda Blaise sans quitter sa cousine des yeux.

À ce moment-là, celle-ci comprit.

Tu avais fait ça avant, quand tu voulais la faire boire aux garçons une fois prélevé leur sang à la fête annuelle du lycée. Tu as transvasé la potion je ne sais où et mis du thé à la place dans la bouteille, puis reformé les sceaux à partir de moules que tu avais dû faire précédemment. Et maintenant… maintenant…

Comme Blaise reprenait le calice à Eric, Thea tremblait d'épouvante.

Ça ne va pas marcher. Ils ne le croiront jamais. Pourtant…

Elle saisit la paume d'Eric, y enfonça ses ongles sans oser articuler un mot ni même le regarder. Mais elle pensait très fort *ne parle pas, ne fais rien, suis mon exemple.*

Là-dessus, son expression se figea, lui donnant un air de poupée de cire.

Eric ne réagit pas. Il avait indubitablement senti la griffure sur sa main et il prouva son intelligence en ne disant rien.

– La séance est levée, déclara mamie. Blaise, emmène-les tant qu'ils ne comprennent pas ce qui leur arrive. Ensuite, ils sauront bien rentrer chez eux.

Elle se détourna sans plus regarder Thea.

– Pas de problème, dit Blaise.

– Je viens avec vous, annonça Aradia.

17

Ils allèrent chercher la Jeep. La nuit était fraîche et sans lune.

Thea gardait la main posée sur le dos d'Eric, prête à la crisper s'il marquait une hésitation. Mais elle n'en eut pas besoin.

Devant la portière de la Jeep, elle interrogea sa cousine du regard, bien qu'elle craignît de se montrer un peu trop expressive. Aradia les voyait-elle ? Elle avait tellement envie de serrer Blaise dans ses bras...

– Est-ce que la boutique a une vitrine qui donne sur cette rue ? interrogea Aradia.

– Non, assura Blaise.

– Alors, dites-vous au revoir. Après, vous allez devoir faire semblant de ne pas vous connaître.

Thea écarquilla les yeux, puis sentit monter en elle un énorme éclat de rire.

– Maintenant, je sais pourquoi tu as été élue,

Aradia ! Mais... est-ce que les autres se sont rendu compte de quelque chose ?

– Je ne crois pas. Sans doute certains se posent-ils des questions, mais je pense que personne ne parlera. Dites-vous vite au revoir.

Thea étreignit sa cousine contre sa poitrine. Et puis elle n'arriva plus à se détacher.

– Merci ! Par Ilythie, Blaise, tu vas me manquer !

– Maintenant, je reste la dernière de la lignée des Harman ! s'écria celle-ci avec un rire forcé. J'aurai une chambre pour moi toute seule. Et je vais bien m'occuper de Sheena.

– Qui ?

– C'est vrai, tu n'es pas au courant ! C'est elle qui nous a dénoncées, une des petites amies de Tobias. Du Cercle de minuit. J'ai l'impression qu'il nous espionnait. Il lui en a dit assez pour qu'elle comprenne qu'on pratiquait des sortilèges interdits et elle l'a rapporté à mamie.

– Ça n'a plus d'importance, à présent.

– Tu veux rire ? On va m'envoyer au Couvent. Je vais la tuer !

Les clochettes tintèrent comme Blaise remuait furieusement la tête.

– Je ne sais pas pourquoi tu tiens tant à vivre avec un humain, mais j'espère que tu vas t'y tenir, maintenant.

– Blaise, quand tu reviendras parmi eux, je t'en prie, ne leur fais plus de mal. Ce sont des personnes, tu sais.

Celle-ci poussa un soupir évasif, avant d'ajouter à voix basse :

– Tu vas me manquer, ma sœur...

Cette fois, Thea parvint à la lâcher.

Lorsqu'elle se retrouva dans la Jeep, elle vit Aradia se pencher à la fenêtre.

– Deux choses encore, dit-elle en hâte. C'est tout ce que je peux faire pour vous. Mère Cybèle a fait allusion au Cercle de l'aube. J'ai entendu dire qu'il existait des sorcières quelque part qui voulaient le rouvrir, sans pour autant se soumettre aux lois du Night World. Je ne sais pas si c'est vrai, mais tu pourrais peut-être te renseigner.

Thea retint son souffle. Cette perspective lui procurait une inimaginable consolation.

– D'autre part, poursuivit Aradia avec un bref sourire, il paraît que certaines de vos cousines Redfern ont des idées bizarres. Je me suis même laissé dire qu'elles se cherchaient des âmes sœurs humaines, comme toi. Tu devrais tâcher d'entrer en contact avec elles et voir ce qu'il en est.

Thea reprit son souffle et les larmes lui vinrent aux yeux.

– Oh, Aradia, merci !

– Bonne chance, Thea. Bonne chance à vous deux. Où que vous alliez.

Eric, qui était resté tranquille derrière son volant, lui effleura la main.

– À vous aussi.

Thea le sentait estomaqué, mais il s'efforçait de n'en rien montrer.

Il démarra et, en partant, Thea se retourna pour voir Blaise devenir toute petite à sa vue. Un vent léger agita sa belle chevelure sombre ; elle évoquait une brune et mystérieuse Aphrodite, la déesse qui faisait toujours ce qu'on attendait le moins d'elle.

Eric roula vite, jusqu'à ce qu'ils se trouvent à bonne distance de la boutique, alors il s'arrêta au bord du trottoir d'une petite rue résidentielle.

– Je suis immunisé contre ce truc ? demanda-t-il. Parce que je n'oublie rien du tout. Ou bien ça va m'arriver dans cinq minutes, c'est ça ?

Thea l'embrassa.

Avant d'éclater d'un rire hystérique.

– Non ! Non !

– Tu veux dire qu'on s'en est bien tirés ? Que tu vas garder tes pouvoirs ?

– Oui ! Oui !

Elle dut le lui répéter plusieurs fois avant de le convaincre. Finalement, il comprit et un éclatant sourire métamorphosa son expression. Il la prit dans ses bras, la serra, la secoua et finit par sauter de la Jeep en criant :

– Bravo ! Bien joué, Blaise ! Ouais !

– Eric !

Il frappa le capot.

– Eric, arrête ! Et s'il y avait des créatures de la nuit dans les parages ?

Sans cesser de rire d'amour et de joie, elle ajouta :

– Viens ici !

Et elle lui ouvrit les bras.

Il s'y précipita. Tous deux s'entendaient si bien, se sentaient si bien, serrés l'un contre l'autre !

– Je suis tellement heureux ! articula-t-il. Je t'aime, sorcière !

Thea riait et pleurait à la fois.

– Moi aussi, je t'aime.

Il l'embrassa sur la tempe. Elle l'embrassa sur la joue. Puis il l'embrassa sur la bouche et y resta un long moment. Alors, Thea en oublia de rire, oublia même qu'il y avait encore un monde autour d'eux.

Ils demeurèrent ainsi l'un près de l'autre dans l'obscurité, à juste respirer. En sécurité. Connectés.

Thea avait trouvé quelqu'un qui la comprenait, qui voyait les mêmes choses qu'elle. Son âme sœur. Et ils avaient le droit de rester ensemble sans se voir pourchassés, sans crainte aucune.

Elle en débordait de joie et de soulagement.

Mais aussi d'une douce tristesse. Car ce renouveau n'avait rien de gratuit. Elle le payait de son exil, de sa rupture avec sa famille. Jamais elle ne reverrait mamie ; quant à Blaise, si cela leur arrivait, ce devrait être en secret. Elle renonçait à beaucoup. Elle avait presque tout sacrifié.

Cependant, elle ne le regrettait pas. Pas quand elle pouvait compter sur la chaleur et la solidité d'Eric auprès d'elle. Pas lorsque le Night World venait d'échapper à une guerre civile, pas lorsque venait de s'éteindre une terrible menace sur les humains.

Et maintenant ? se demandait-elle.

Curieusement, alors même qu'elle ne connaissait pas vraiment la réponse à cette question, elle n'avait pas peur. Elle pouvait envisager plusieurs formes d'avenir, qui lui semblaient toutes aussi intéressantes.

À présent, ils allaient gagner la maison d'Eric ; Mme Ross serait certainement étonnée, cependant elle tiendrait sa promesse. Quant à Rosamund, elle ferait sa féroce, mais serait enchantée. Et la semaine prochaine, Thea retournerait au lycée et demanderait à suivre le cours de zoologie.

Elle obtiendrait une bourse pour l'université de Davis, deviendrait vétérinaire et se servirait de ses pouvoirs pour trouver de quoi souffraient les animaux malades qu'on lui présenterait. À moins qu'elle ne se spécialise en éléphants ou en loups, ne devienne naturaliste et ne se rende dans des pays lointains pour les étudier dans leur milieu naturel. Peut-être qu'avec Eric, ils adopteraient un chiot comme Bud et écriraient un livre pour aider les gens à comprendre leur chien…

Ou bien, elle trouverait le Cercle de l'aube et y rencontrerait des sorcières désireuses d'oublier les bûchers d'autrefois pour réapprendre la magie aux humains ; Rosamund grandirait en force et en fierté et connaîtrait toutes les légendes d'Hellewise.

Ou bien elle retrouverait ses cousines vampires et s'assurerait que le principe des âmes sœurs était bel et bien revenu. Et leur groupe serait comme un aimant qui attirerait d'autres jeunes créatures de la nuit aux idées radicales, afin de lancer une révolution underground.

Peut-être qu'un nouvelle génération de Redfern et d'Harman allait former une alliance avec les humains. Peut-être était-il temps que la haine s'éteigne.

Peut-être que les anciens pouvoirs se réveillaient, que des temps nouveaux arrivaient. Peut-être que le monde allait changer…

Une seule chose était sûre.

Il existait d'innombrables possibilités.

Serrée contre Eric, elle le sentait respirer, et goûtait enfin la paix de la nuit.

Achevé d'imprimer au Canada
sur les presses de Imprimerie Lebonfon Inc.
Dépôt légal : mai 2010
N° d'impression :
ISBN : 978-2-7499-1222-6
LAF 1232 C